Livro de Orações Umbandistas

Súplicas aos Caboclos, Pretos-Velhos,
Ciganos, Guardiões e Sagrados Orixás

Cissa Neves

Livro de Orações Umbandistas

Súplicas aos Caboclos, Pretos-Velhos, Ciganos, Guardiões e Sagrados Orixás

© 2024, Madras Editora Ltda.

Editor:
Wagner Veneziani Costa (*in memoriam*)

Produção e Capa:
Equipe Técnica Madras

Revisão:
Jerônimo Feitosa
Arlete Genari

Ilustração da Capa:
Marco Vieira

Dados Internacionais de Catalogação na Publicação
(CIP)(Câmara Brasileira do Livro, SP, Brasil)

Neves, Cissa
Livro de orações umbandistas: súplicas aos Caboclos, Pretos-Velhos, Ciganos, guardiões e sagrados Orixás/Cissa Neves. – São Paulo: Madras Editora, 2024.

5. ed.

ISBN 978-65-5620-019-4

1. Orações 2. Umbanda 3. Umbanda (Culto) 4. Umbanda (Culto) – Rituais I. Título.

21-66070   CDD-299.672

Índices para catálogo sistemático:
1. Umbanda: Doutrina, rituais e comportamento: Religiões afro-brasileiras 299.672
Aline Graziele Benitez – Bibliotecária – CRB-1/3129

É proibida a reprodução total ou parcial desta obra, de qualquer forma ou por qualquer meio eletrônico, mecânico, inclusive por meio de processos xerográficos, incluindo ainda o uso da internet, sem a permissão expressa da Madras Editora, na pessoa de seu editor (Lei nº 9.610, de 19/2/1998).

Todos os direitos desta edição reservados pela

MADRAS EDITORA LTDA.
Rua Paulo Gonçalves, 88 – Santana
CEP: 02403-020 – São Paulo/SP
Caixa Postal: 12183 – CEP: 02013-970
Tel.: (11) 2281-5555 – (11) 98128-7754
www.madras.com.br

Dedicatória

Dedico esta obra ao grande e eterno Mestre Rubens Saraceni (in memoriam), *por todos os ensinamentos, apoio e incentivo a mim dedicados; acredito que esteja zelando por mim em sua vida em espírito.*

Dedico, também, aos meus pais e mestres do Templo Pai Benedito de Aruanda de São Carlos, Laerte Nogiri e Cristina Nogiri, os quais respeito e agradeço por tudo o que fazem por mim.

Às minhas duas amadas filhas, que estão sempre ao meu lado, apoiando-me, e a uma grande amiga, Maria Aparecida, por estar presente sempre que preciso.

Index

Índice

I – EXUS

1 – Aclamação aos Senhores Exus 11
2 – Apelo ao Sagrado Senhor Exu Caveira 13
3 – Apelo ao Sagrado Senhor Exu Quebra Ondas 15
4 – Clamor ao Sagrado Senhor Exu Gira Mundo 16
5 – Clamor ao Sagrado Senhor Exu Guardião das Sete Covas... 18
6 – Clamor ao Sagrado Senhor Exu Sete Nós 20
7 – Oração ao Sagrado Senhor Exu do Ouro 22
8 – Prece ao Sagrado Senhor Exu Ventania 24
9 – Prece ao Sagrado Senhor Exu Guardião da Meia-Noite 26
10 – Prece ao Sagrado Senhor Exu Guardião das Cachoeiras 27
11 – Prece ao Sagrado Senhor Exu Guardião do Fogo 29
12 – Prece ao Sagrado Senhor Exu Guardião dos Pântanos 31
13 – Prece ao Sagrado Senhor Exu Guardião das Matas 32
14 – Prece ao Sagrado Senhor Exu do Lodo 34
15 – Prece ao Sagrado Senhor Exu Marabô 36

16 – Prece aos Sagrados Senhores Exus Mirins 37
17 – Prece ao Sagrado Senhor Exu Pantera Negra 39
18 – Prece ao Sagrado Senhor Exu Rei das Sete Encruzilhadas ... 41
19 – Prece ao Sagrado Senhor Exu Tiriri das Almas 43
20 – Prece ao Sagrado Senhor Exu Tranca-Ruas 45

II – POMBAGIRAS

21 – Prece às Sagradas Senhoras Pombagiras 49
22 – Prece à Sagrada Senhora Pombagira Cigana....................... 51
23 – Prece à Sagrada Senhora Pombagira do Lodo 53
24 – Clamor à Senhora Pombagira Maria Mulambo 55
25 – Prece à Sagrada Senhora Pombagira Maria Navalha.......... 56
26 – Prece à Sagrada Senhora Pombagira
Maria Padilha das Almas.. 58
27 – Prece à Sagrada Senhora Pombagira Maria Quitéria.......... 60
28 – Prece à Sagrada Senhora Pombagira Rosa Caveira............. 62
29 – Prece à Sagrada Senhora Pombagira Sete Saias 63
30 – Prece à Sagrada Senhora Pombagira Tereza da Praia......... 65

III – SAGRADOS PAIS E MÃES ORIXÁS

31 – Oração às Sete Mães Orixás... 69
32 – Prece à Sagrada Mãe Egunitá 71
33 – Oração à Sagrada Mãe Iansã 73
34 – Oração à Sagrada Mãe Iemanjá 75
35 – Oração à Sagrada Mãe Obá 76
36 – Oração à Sagrada Mãe Oxum 78
37 – Oração à Sagrada Mãe Oyá 79

38 – Oração à Sagrada Mãe Nanã Buruquê.................................81
39 – Prece aos Sete Pais Orixás..83
40 – Prece ao Sagrado Pai Obaluaiê..85
41 – Prece ao Sagrado Pai Ogum..87
42 – Prece ao Sagrado Pai Omolu..89
43 – Oração ao Sagrado Pai Oxalá...90
44 – Prece ao Sagrado Pai Oxóssi..92
45 – Prece ao Sagrado Pai Oxumaré..94
46 – Oração ao Sagrado Pai Xangô..95

IV – SAGRADOS CABOCLOS E CABOCLAS

47 – Prece à Sagrada Cabocla Jurema...99
48 – Oração à Sagrada Cabocla Sete Estradas.............................101
49 – Prece aos Sagrados Caboclos Boiadeiros.............................102
50 – Oração ao Sagrado Caboclo Cobra-Coral.............................104
51 – Oração ao Sagrado Caboclo Pena Branca............................105
52 – Oração ao Sagrado Caboclo das Sete Encruzilhadas..........107
53 – Oração ao Sagrado Caboclo das Sete Flechas.....................109
54 – Oração ao Sagrado Caboclo das Sete Montanhas...............110
55 – Oração ao Sagrado Caboclo do Tambor................................112

V – SAGRADOS PRETOS-VELHOS E PRETAS-VELHAS

56 – Oração à Preta-Velha Vovó Carolina.....................................115
57 – Oração ao Sagrado Preto-Velho
Pai Benedito de Aruanda 117
58 – Oração ao Sagrado Preto-Velho Pai Joaquim......................119
59 – Oração ao Sagrado Preto-Velho Pai Manoel.......................120

VI - OUTRAS ORAÇÕES

60 – Apelo de um Médium ao Sagrado Senhor
Ogum Sete Ondas 123

61 – Oração a Sagrada Santa Sara Kali 125

62 – Prece a Sagrada Cigana Esmeralda 127

63 – Oração ao Sagrado Povo Cigano 129

64 – Oração ao Sagrado Povo Baiano 131

65 – Oração aos Sagrados Guerreiros Africanos 133

66 – Oração ao Sagrado Espírito de Luz
Dr. Bezerra de Menezes 135

67 – Prece aos Sagrados Marinheiros 136

68 – Prece aos Sagrados Erês 138

69 – Oração ao Sagrado Senhor Zé Pilintra 140

70 – Prece para Encaminhar o Espírito de
um Irmão/Irmã Umbandista 142

I – EXUS

1 – Aclamação aos Senhores Exus

Sagrados Senhores Exus, conhecedores de incontáveis Mistérios Divinos, atuantes e executores da Lei no polo negativo do nosso Divino Criador, que, mesmo sendo julgados pelos que não vos conhecem, não negais o vosso auxílio aos que são merecedores dele. Os Senhores, que não permitem que um espírito inocente desça até os vossos domínios, mas que também não permitem que um espírito devedor suba à luz; de joelhos perante vós, com muita fé, respeito e pedindo-vos licença, é que clamo pelo vosso auxílio divino.

Vinde em meu socorro e libertai-me das amarras, dos grilhões, das correntes que me aprisionam nas trevas da ignorância. Ensinai-me a ir em busca de conhecimento, a ser mais humilde, mais caridosa(o), a ter mais compaixão. Não permitais que os desejos obsessivos me arrastem para a escuridão. Ensinai-me o valor de perdoar e de pedir perdão.

Fortalecei minha fé, minha coragem e meu amor pela vida. Curai os males que envolvem meu espírito, minha matéria, meu emocional, meu mental e meus campos mediúnico, vibratório e energético. Curai minhas dores, minhas amarguras, meus rancores e todos os meus tormentos que escurecem a minha alma.

Conduzi-me pelos caminhos da alegria, da prosperidade, do saber, da fartura, do equilíbrio, da luz e da fé. Ensinai-me a ter dignidade, respeito e amor por mim mesma(o) e pelos meus irmãos, e que eu tenha responsabilidade por meus atos.

Sagrados Senhores Exus, eu vos clamo e vos peço que me liberteis da arrogância, da soberbia, do egoísmo, do preconceito e de todo o negativismo que invadem meus pensamentos e sentimentos. Eu vos clamo, também, para que desmancheis, quebreis e anuleis todas as magias negativas, demandas, magias negras, bruxarias, feitiços, encantamentos, vudus e pragas que me foram enviados ou atraídos por mim, desta vida e de outras que já vivi, e que meus caminhos sejam abertos para que eu possa caminhar sob vossas proteções divinas.

Ensinai-me a não infringir, nem afrontar as Leis Divinas, para que assim eu possa alegrar os olhos do meu Criador com os meus atos e não cair nas mãos da severa punição da Lei. Dessa forma, quando eu terminar a missão neste meio e fizer minha passagem para o outro lado da vida, que eu seja amparada(o) pela Lei, e não sob a pena dela. Mas, se por ignorância, faltas e falhas cometidas por mim, eu chegar aos vossos domínios, que seja apenas uma descida e não uma queda, para que assim, sob o amparo da Lei, eu possa alcançar a evolução necessária para trilhar novos caminhos em outro plano da vida e ocupar meu grau e degrau perante o Criador de tudo e de todos.

Sagrados Senhores Exus, eu vos clamo, também, que os Senhores adentrem minha casa e recolham dela todos os espíritos que lá estejam precisando de socorro – os negativos, quiumbas, eguns, obsessores, enfermiços, trevosos, escurecidos, aqueles que se perderam por minha causa e os que estão ligados a mim negativamente pelos fios invisíveis da vida. Curai, regenerai e encaminhai esses espíritos para seus lugares de merecimento. Eu vos clamo, também, que diluais o negativismo dos meus inimigos, anuleis o ódio, os rancores, a inveja, as pragas rogadas, os ciúmes e as mágoas que sentem por mim. Ensinai-lhes os caminhos da evolução, mas se eles não quiserem evoluir, então, mostrai-lhes o peso da vossa Lei e não permitais que eles me atinjam com suas maldades.

Sagrados Senhores Exus, eu vos agradeço respeitosamente e vos peço que abençoeis a mim, minha casa, minha família, meu trabalho e todos que, com fé e respeito, clamam pelos vossos sagrados nomes. Peço perdão pela minha ignorância perante vossos Mistérios, e que os Senhores me tragam saúde, vigor, juventude, equilíbrio, prosperidade, abundância, harmonia, amor, fé, sabedoria e que por intermédio dos Senhores e vossos Mistérios Divinos chegue a toda humanidade a cura de que necessitamos neste momento, segundo o merecimento de cada um. Guardai-me nas vossas Sagradas Capas todas as vezes que acharem necessário e que eu mereça.

Que assim seja!

Salve os Sagrados Senhores Exus!

Salve a nossa Umbanda Sagrada!

2 – Apelo ao Sagrado Senhor Exu Caveira

Sagrado Senhor Exu Caveira, conhecedor de incontáveis Mistérios Divinos, que domina com destreza os poderosos Mistérios do Campo-Santo. Como não negais socorro a quem vos pede com respeito e fé, de joelhos perante o Senhor, respeitosamente, clamo pelo vosso auxílio divino. Que o Senhor venha me socorrer e me libertar das amarguras que me consomem, do egoísmo que me cega, da arrogância que me isola e da ignorância que me impede de evoluir. Libertai-me das amarras do passado que escurecem meu presente e me impedem de vivê-lo.

Sagrado Senhor Exu Caveira, eu vos clamo que, perante vossos Sagrados Mistérios, o Senhor traga a cura de todos os males que invadem meus corpos espiritual e carnal. Curai meus órgãos internos e externos. Purificai o sangue que corre nas minhas veias. Fortalecei meus ossos. Equilibrai meu emocional e meu mental, purificai minha visão, ajudai-me a enxergar os meus próprios erros e dai-me a coragem e a sabedoria para corrigi-los.

Fortalecei-me e me confortai diante da dor pelos sonhos não concluídos, pelos amores mal resolvidos, pelos tormentos por mim atraídos e pela partida de um ente querido. Não permitais que eu fraqueje diante das árduas provações do meu dia a dia. Ensinai-me a usufruir do meu livre-arbítrio de maneira que eu não infrinja as leis divinas.

Libertai-me da escuridão do meu próprio íntimo e mostrai-me o melhor caminho a seguir. Não permitais que o medo me acovarde diante das decisões e responsabilidades a mim incumbidas. Ensinai-me a responder pelas minhas faltas e falhas, sem culpar meus irmãos.

Sagrado Senhor Exu Caveira, neste momento eu vos peço que adentreis minha casa, juntamente com vossa falange, e anuleis dela, da minha família, dos nossos campos e caminhos todas as energias e vibrações negativas existentes, e recolhais todos os espíritos negativos que lá estejam – os doentios, trevosos, desequilibrados, desordenados, apáticos, obsessores, quiumbas e eguns, que se perderam por minha causa e os que se perderam no tempo e na escuridão. Recolhei também os que estão vagando no Campo-Santo por causa do apego à matéria e por sua ignorância. Curai-os, reordenai-os, reequilibrai-os e encaminhai todos eles para seus lugares de merecimento.

Sagrado Senhor Exu Caveira, eu vos clamo, perante os Sagrados Mistérios das Terras do Campo-Santo, que o Senhor me defenda dos meus inimigos. Purificai no íntimo deles todo ódio, mágoas, rancores e todo sentimento negativo que eles nutrem por mim. Mostrai-lhes os caminhos da evolução e não permitais que eles atrasem a minha.

Sagrado Senhor Exu Caveira, é com muita fé, amor e respeito, dos quais o Senhor é merecedor, que vos agradeço e peço vossa bênção, amparo, proteção e sustentação divina em todos os dias da minha caminhada. Que o Senhor me ensine que nada nesta terra me pertence e que meu Criador espera que eu saiba zelar com sabedoria da vida que Ele amorosamente me concedeu nesse meio em que vivo. Trazei a cura para todos os seres humanos viventes nesta terra, segundo o merecimento de cada um.

Que assim seja!

Salve o Sagrado Senhor Exu Caveira!

Salve o Povo do Campo-Santo!

Salve a nossa Umbanda Sagrada!

3 – Apelo ao Sagrado Senhor Exu Quebra Ondas

Sagrado Senhor Exu Quebra Ondas, conhecedor de incontáveis Mistérios Divinos, entre os quais estão os Mistérios e Encantos das Águas do Mar Sagrado, que não negais auxílio a quem vos clama com fé e respeito, de joelhos perante o Senhor, venho respeitosamente pedir vosso auxílio. Clamo para que, perante os encantos e poderes dos vossos domínios, o Senhor venha em meu socorro, abrindo as águas, quebrando as ondas e chegando até mim. Libertai-me das amarras, das correntes que me prendem, me paralisam, e não me deixam evoluir. Não permitais que eu seja arrastada(o) para lugares sombrios onde não existe fé, amor, razão nem alegria. Acolhei-me nas vossas Sagradas Ondas e curai todos os males do meu corpo e da minha alma.

Sagrado Senhor Exu Quebra Ondas, ajudai-me a crer que cada obstáculo no meu caminho é para minha evolução, não para meu castigo. Que eu não seja prisioneira(o) dos meus próprios pensamentos e sentimentos. Conduzi-me aos caminhos da luz, da fé, do amor, da alegria, do crescimento e da evolução.

Sagrado Senhor Exu Quebra Ondas, eu vos peço, também, que não permitais que eu perca a vontade de viver por causa dos horrores que meus olhos veem aqui nesse meio. Que eu tenha sabedoria, clareza e fé para orar por todos aqueles que estão perdidos na escuridão dos seus egoísmos. Ajudai-me a enxergar a beleza da vida e agradecer por todas as bênçãos que recebo todos os dias. Ensinai-me a dominar minhas fraquezas, meus medos, e que o Senhor fortaleça a minha coragem e me dê fé e confiança para seguir adiante sem deturpar as Leis que sustentam esse meio. Que nos Mistérios das Águas e das Ondas do Mar Sagrado sejam recolhidos, curados, regenerados e encaminhados para os seus lugares de merecimento todos espíritos ligados a mim negativamente, os ligados à minha casa, à minha família, e os que se perderam por minha causa. Que sejam desmanchadas, quebradas e anuladas todas as magias negativas, encantamentos e magias negras, em forma de pensamentos, elementos, atos e palavras enviados a mim e atraídos por mim, desta vida e de outras vidas que já vivi. Peço e clamo, também, para que seja banhado o íntimo dos meus inimigos e purificado e transformado tudo de negativo que eles sentem, fazem e desejam a mim, e que eles sigam seus caminhos e encontrem a paz nos seus corações.

Sagrado Senhor Exu Quebra Ondas, se for do meu merecimento, sei que neste momento o Senhor se faz presente, então vos agradeço respeitosamente e peço perdão por alguma falta e falha aqui cometidas. Que o Senhor perdoe, também, minha ignorância perante vossos Sagrados Mistérios.

Que o Senhor me abençoe, abençoe minha casa, minha família, meu trabalho e todos que são merecedores das vossas bênçãos. Que vossas vibrações e irradiações aquáticas circulem a Terra e curem todos os males existentes nela, os visíveis e os não visíveis, segundo o nosso merecimento.

Que assim seja!

Salve o Sagrado Senhor Exu Quebra Ondas!

Salve o vosso Ponto de Forças!

Salve a nossa Umbanda Sagrada!

4 – Clamor ao Sagrado Senhor Exu Gira Mundo

Sagrado Senhor Exu Gira Mundo, conhecedor de incontáveis Mistérios Divinos, que atua à esquerda do nosso Criador e trabalha em prol da Luz e da Lei onde se fizer necessário, para que nenhum culpado fique impune; o Senhor, que é grande conhecedor dos Mistérios desse meio, que conhece bem o íntimo dos encarnados e traz convosco os Mistérios da cura, da magia e dos Sete Giros Sagrados, os quais os usa em nosso benefício todas as vezes que clamamos ao Senhor com fé, amor e respeito e se formos merecedores.

Sagrado Senhor Exu Gira Mundo, respeitosamente, e de joelhos perante o Senhor, venho clamar por vosso auxílio. Vinde em meu socorro, protegei-me das maldades existentes neste mundo em que vivo. Protegei-me das calúnias, das injúrias, dos julgamentos, da violência, do preconceito, das línguas felinas e do mal disfarçado de bem. Ajudai-me a discernir os atos que me levam para a Luz e os que me levam para as trevas. Ajudai-me a enxergar a mim mesma(o), libertai-me das duras marcas e mágoas do passado que me impedem de viver o presente. Libertai o meu mental e emocional dos sentimentos e pensamentos negativos. Curai minhas dores, libertai a minha alma das correntes que me prendem ao ego e à ignorância, e dai-me sabedoria, discernimento e equilíbrio para que, assim, eu não erre tanto nesse meio e possa consertar erros e me vigiar para não cometê-los novamente.

Sagrado Senhor Exu Gira Mundo, eu vos clamo e peço, que, perante os Mistérios sob vossa guarda, neste momento sejam quebrados, desmanchados e anulados todos os trabalhos negativos em forma de pensamentos, elementos, atos e palavras enviados a mim, minha casa e minha família ou atraídos por mim, e que sejam cortadas e anuladas todas as magias negras, encantamentos, pragas rogadas, bruxarias e tudo de negativo que envolva meus caminhos, meus campos energéticos, meus campos mediúnicos, meus campos vibratórios, meu eixo magnético, meu espírito e minha matéria, e que seja trazido para a minha vida tudo de positivo que seja de meu merecimento.

Sagrado Senhor Exu Gira Mundo, se, por ignorância minha, eu tropeçar e cair, que comigo o Senhor esteja para me levantar, me sustentar e me ensinar a caminhar novamente. Ensinai-me que a Lei Divina sempre estará comigo, e se eu errar perante ela, serei punida(o).

Mas, se eu for correta(o), serei amparada(o) e sustentada(o) por ela. Eu vos clamo, Sagrado Senhor, que cuideis dos meus inimigos, diluais e anuleis do íntimo deles todo ódio, inveja, ciúmes, rancores e mágoas que nutrem por mim. Mostrai-lhes os caminhos da evolução e ensinai-os que as Leis Divinas existem para todos. Não permitais que eles me atinjam com suas maldades.

Sagrado Senhor Exu Gira Mundo, eu vos clamo, também, que, sob os Sagrados Mistérios dos Sete Giros Sagrados, o Senhor adentre minha casa e recolha dela, da minha família e dos nossos campos todos os espíritos negativos ligados a nós – os obsessores, quiumbas, doentios, enfermiços, trevosos, sombrios e os que se perderam no tempo por minha causa ou por sua própria ignorância. Libertai meus caminhos, minha casa, minha família e nossos campos das energias, ações e vibrações negativas deles; curai-os, regenerai-os e encaminhai-os para os caminhos da evolução.

Sagrado Senhor Exu Gira Mundo, eu vos agradeço respeitosamente e peço vossa bênção, vosso amparo e vossa sustentação divina em todos os dias da minha jornada. Trazei vosso auxílio divino para todos os seres viventes dessa terra sagrada, segundo o merecimento de cada um. Que o Senhor perdoe minhas fraquezas e a minha ignorância.

Que assim seja. Amém!

Salve o Sagrado Senhor Exu Gira Mundo!

Salve a nossa Umbanda Sagrada!

5 – Clamor ao Sagrado Senhor Exu Guardião das Sete Covas

Sagrado Senhor Exu Guardião das Sete Covas, conhecedor de incontáveis Mistérios Divinos, entre eles os Sagrados Mistérios do Campo-Santo. O Senhor que oculta sob os Mistérios da Terra todos os corpos materiais que chegam ao Sagrado Campo-Santo, quando cumpriram sua missão e não mais abrigam um espírito imortal.

O Senhor que zela por todos esses corpos até que a Sagrada Terra cumpra seu papel, que, juntamente com o Sagrado Pai Omolu e o Sagrado Senhor Exu Caveira, zela pelos espíritos que por ignorância permanecem no Campo-Santo até o momento de serem encaminhados para outros domínios.

Neste momento, de joelhos perante o Senhor, com muita fé e respeito, venho vos pedir auxílio. Libertai-me da ignorância que ofusca a minha visão e me arrasta para os caminhos escuros, sem amor, fé e razão. Libertai-me das muralhas que, muitas vezes, eu mesma(o) coloco na minha vida. Ensinai-me que meu corpo carnal é um Templo Sagrado para o meu Criador. Mostrai-me que se eu ficar parada(o) de braços cruzados, lamentando meus fracassos, serei apenas um peso em cima dessa Terra Sagrada. Ensinai-me que, com coragem, fé, amor, equilíbrio, sabedoria e lutando a cada dia, posso vencer minhas batalhas e caminhar rumo à minha evolução. Ensinai-me que sou responsável pela minha vida e pelos meus atos, e que só posso mudar meu lado externo se primeiramente mudar meu lado interno, o meu interior. Afastai-me de tudo que seja vazio de sentimentos nobres e que eu seja guiada(o) pelos caminhos do bem.

Sagrado Senhor Exu Guardião das Sete Covas, eu vos clamo, também, que o Senhor purifique tudo que houver de negativo envolvendo a mim, minha casa, minha família, meus campos e caminhos. Que sejam recolhidos, curados, reordenados e encaminhados todos os espíritos negativos ligados a nós, desta vida e outras que já vivemos. Que seja enterrado tudo de negativo que no passado e no presente atormenta minha alma e me causa dores, lágrimas, mágoas, ódio e aflições. Também vos peço saúde, prosperidade, abundância, equilíbrio, sabedoria, amor, alegria, discernimento e harmonia, e que fortaleçais minha fé e meu amor-próprio. Clamo que o Senhor purifique todo negativismo que envolve meus inimigos; libertai-os do ódio, da mágoa, do rancor, do ciúme, da inveja que sentem por mim e me tire do campo de visão deles para que não me atinjam com suas maldades.

Sagrado Senhor Exu Guardião das Sete Covas, eu vos agradeço respeitosamente e peço vossa bênção, vosso amparo, sustentação e proteção divina em todos os dias da minha jornada. Que a força e o poder da vossa Lei Divina atuem na vida de todos que por ambição, orgulho e maldade ferem, maltratam e humilham seus irmãos; que nas forças e poderes dos Mistérios da Terra do Campo-Santo, o Senhor me oculte todas as vezes que eu me encontrar em perigo e que o Senhor perdoe e cure essa humanidade tão desprovida de humanidade.

Que assim seja!

Salve o Senhor Exu Guardião das Sete Covas!

Salve o Povo do Campo-Santo!

Salve a nossa Umbanda Sagrada!

6 – Clamor ao Sagrado Senhor Exu Sete Nós

Sagrado Senhor Exu Sete Nós, conhecedor de poderosos Mistérios Divinos, que tem vosso domínio à esquerda do Criador, que é aplicador da Lei somente aos devedores dela, que recebeu do nosso Criador a missão de desatar os nós de todos os que desejam evoluir em todos os campos da vida sem infringir as Leis Divinas, de joelhos perante o Senhor, com muito amor, fé e respeito, venho pedir vosso auxílio divino.

Clamo que o Senhor esteja comigo nessa árdua caminhada nesse meio onde vivo e desate os nós que ofuscam minha visão e me impedem de enxergar a luz divina. Que o Senhor me direcione para os bons caminhos e me ensine a caminhar com humildade, amor, fé, coragem e responsabilidade. Clamo, também, que o Senhor aplique vossa Lei a todos aqueles que aprisionam os inocentes, maltratam, humilham e escravizam os mais fracos; enganam, mentem e zombam dos mais frágeis; e aqueles que com armas e palavras ferem o semelhante, para que, por meio da vossa Lei, eles possam crescer e evoluir.

Que o Senhor desate todos os nós da minha vida, dos meus caminhos e campos. Libertai-me das correntes que me prendem aos sentimentos e pensamentos negativos e que me trazem tristeza, angústia, mágoa, inveja, ódio, prepotência e vícios. Ajudai-me para que meu coração esteja em harmonia com a minha mente e minhas palavras, e que eu possa ter pensamentos e sentimentos nobres, bem como atitudes de acordo com a Lei Divina.

Trazei-me saúde, vigor, energia, coragem, equilíbrio, amor, prosperidade e sabedoria. Curai os males do meu corpo carnal e espiritual, além de todos os males que envolvem minha família, e dai-nos a vossa proteção para todos nós.

Sagrado Senhor Exu Sete Nós, clamo-vos que nos poderes dos vossos Sagrados Mistérios e nas forças dos sete nós, sejam recolhidos, curados, reordenados, reequilibrados e encaminhados para seus lugares de merecimento todos os espíritos que estejam ligados negativamente a mim, minha casa, minha família, meus sete campos, meus sete caminhos, minhas sete passagens e minha vida. Recolhei também todos os amarrados e atormentados que se perderam no tempo e na escuridão, e os que se perderam por minha causa; libertai-os de suas aflições e tormentos.

Sagrado Senhor Exu Sete Nós, amparai-me para que meus acertos sejam maiores que minhas falhas; que a luz do meu íntimo seja maior que minha treva; que a minha coragem seja maior que os meus medos; que minha paz seja maior que os meus conflitos e que minha fé seja maior que as minhas fraquezas.

Não permitais que o orgulho, a ignorância e o egoísmo me levem para caminhos escuros e sombrios. Clamo, também, que o Senhor desate todos os nós que me aprisionam e não me deixam evoluir. Que sejam purificados todos os cordões negativos que me ligam a pessoas, espíritos e esferas negativas, e que o Senhor cuide dos meus inimigos, encarnados ou não, desta e de outras vidas. Curai o negativismo do íntimo deles, para que assim alcancem sua evolução, mas que perante vossos Mistérios Sagrados, o Senhor afaste-os para longe de mim todas as vezes que desejarem me ferir com atos, pensamentos, elementos e palavras.

Sagrado Senhor Exu Sete Nós, agradeço-vos e clamo pelo vosso perdão por minha ignorância e minhas faltas e falhas aqui cometidas. Peço, também, vossa bênção, vosso amparo, a vossa sustentação e vossa proteção divina em todos os dias da minha jornada.

Que o Senhor desate os nós dessa humanidade e cure os males aqui existentes, segundo o nosso merecimento. Que o Senhor me cubra com a vossa Sagrada Capa todas as vezes que o Senhor achar necessário e que eu merecer.

Que assim seja. Amém!

Salve o Senhor Exu Sete Nós!

Salve a nossa Umbanda Sagrada!

7 – Oração ao Sagrado Senhor Exu do Ouro

Sagrado Senhor Exu do Ouro, conhecedor de inúmeros Mistérios Divinos; que é o Guardião da Prosperidade, da Riqueza e da Fartura em todos os sentidos da vida; que auxilia, protege e cura todos os que clamam pelo vosso nome com fé, amor e respeito; de joelhos perante o Senhor, venho vos pedir auxílio. Vinde em meu socorro, grande Senhor. Ajudai-me a organizar, equilibrar e harmonizar minha vida financeira, amorosa, emocional, mental, material e espiritual. Ensinai-me o quão é importante cuidar do meu lado espiritual. Ensinai-me a não ser tão materialista, nem avarenta (o), nem soberba (o) com os mais fracos. Ensinai-me a ser grata(o) a Deus pelo que possuo e a estender minha mão aos que precisam.

Sagrado Senhor Exu do Ouro, ajudai-me a administrar meus ganhos. Fechai os portais negativos que estão sugando minhas finanças. Ajudai-me a equilibrar os meus gastos. Que perante a vossa Sagrada Lei seja multiplicado o ouro da minha vida em todos os sentidos, segundo meu merecimento. Não permitais que eu me perca diante do ouro enganoso, do brilho das ilusões, nem das pessoas de má índole.

Sagrado Senhor Exu do Ouro, curai minha ambição excessiva e meu desejo compulsivo em querer mais do que necessito. Em querer o que não pertence a mim. Não permitais que eu empurre um irmão para me apossar do lugar dele. Que eu coloque sempre à frente meu desejo de ser rico, de espírito e de alma, para que, assim, todas as riquezas cheguem até mim e eu não seja prisioneira(o) dos bens materiais. Que meus caminhos sejam iluminados e que eu tenha humildade, serenidade, equilíbrio e sabedoria para zelar com amor de todo o ouro que meu Criador bondosamente colocar na minha vida. Que eu saiba que, entre todos os ouros, os mais valiosos são minha saúde e minha família. Que o Senhor zele pelo meu corpo material, pois ele é o ouro que abriga meu espírito nesta vida carnal. Que o Senhor zele pelo meu espírito, pois ele é imortal e um dia voltará à casa do Pai.

Sagrado Senhor Exu do Ouro, que nos Mistérios dos Minerais, neste momento, clamo para que o Senhor adentre minha casa e recolha dela todos os espíritos negativos, doentios, trevosos, eguns, obsessores, quiumbas, aqueles que se perderam por minha causa, os que estão ligados negativamente pelos fios invisíveis, desta e de outras vidas, os espíritos familiares que lá estejam precisando de socorro. Curai-os, regenerai-os e os encaminhai para seus lugares de merecimento. Também peço, Grande Senhor, que no brilho do vosso ouro seja ofuscada a visão dos meus inimigos, para que eles não me enxerguem, nem me façam mal. Que todo ódio, rancor, mágoa, inveja, ranço que eles sentem por mim seja transformado no ouro do perdão, para que assim eles cresçam e evoluam e me deixem caminhar em paz.

Sagrado Senhor Exu do Ouro, eu vos agradeço respeitosamente e peço que, juntamente com a Sagrada Mãe Oxum, sejam curadas minhas dores, aflições, meus vícios e o meu ego. Que meu coração seja transbordado do mais belo de todos os ouros, que é o amor.

Trazei prosperidade, fé e esperança para minha vida; a luz para os meus caminhos; a fartura para a minha mesa; a harmonia para o meu lar e o amor para o meu coração. Que o Senhor me abençoe, abençoe minha casa, minha família, meu trabalho e a todos que são merecedores. Que o Senhor traga até mim, nas mais belas formas luminosas, todo o ouro que o Senhor achar que eu mereço, e que nada nem ninguém tire da minha vida o que me foi dado por merecimento. Ensinai-me a buscar a luz em mim mesma(o) para que, assim, eu enxergue meus irmãos com os olhos da bondade, do amor, do perdão e da caridade. Peço, também, Sagrado Senhor, que coloqueis sob o peso da vossa Lei todos aqueles que, por ambição desmedida, massacram, aprisionam, humilham, sangram e matam seus irmãos.

Que assim seja!

Salve o Sagrado Senhor Exu do Ouro!

Salve a Sagrada Mãe Oxum!

Salve a nossa Umbanda Sagrada!

8 – Prece ao Sagrado Senhor Exu Ventania

Sagrado Senhor Exu Ventania, que atua à esquerda do divino Criador e realiza grandiosos trabalhos em nosso benefício, quando somos merecedores. O Senhor, que é grande conhecedor de incontáveis Mistérios Divinos e domina com sabedoria os poderosos Mistérios dos Ventos e do Ar; de joelhos perante o Senhor, com muita fé e respeito, clamo pelo vosso auxílio divino. Que o Senhor venha em minha defesa, em minha proteção, pois meus caminhos muitas vezes são árduos, cheios de dissabores, insegurança, dúvidas, amarguras e desilusões.

Peço-vos, com toda a minha fé, que leveis para longe de mim, nas forças dos vossos ventos, todas as minhas dores, angústias, mágoas, medos, vícios, males e fraquezas. Curai os distúrbios da minha mente, que muitas vezes se fazem presentes em meus pensamentos e me levam a agir contra as Leis Divinas. Afastai de mim as sombras que ofuscam minha visão e me impedem de enxergar o quanto o Criador é bondoso com seus filhos; dissolvei o ódio do meu íntimo, que adoece meu corpo e escurece minha alma. Ajudai-me a encontrar fé, sabedoria, amor e justiça para os meus atos, mas, acima de tudo, faça com que eu tenha fé, coragem e desejo para ir em busca de tudo que neste momento vos peço.

Sagrado Senhor Exu Ventania, peço-vos que me mostre a porta de saída todas as vezes que eu me perder diante dos labirintos escuros da minha vida. Que nas forças e Mistérios dos Ventos e do Ar, o Senhor recolha da minha casa todos os espíritos negativos, os que se perderam no tempo, os que por ignorância estão na escuridão e os que, por alguma razão, estejam atentando contra mim, minha casa, meus campos, meus caminhos e minha família; curai-os, regenerai-os e encaminhai-os para seus lugares de merecimento.

Peço-vos, também, que o Senhor assopre em direção ao meu corpo e ao meu espírito saúde, prosperidade, equilíbrio, harmonia, vigor, dignidade, fé e estímulo pela vida. Dai-me vosso amparo, vossa sustentação e bênção divina, para que, assim, eu possa passar por todos os obstáculos dos meus caminhos sem tropeços e sem quedas.

Sagrado Senhor Exu Ventania, clamo que me envolvais em vossos Mistérios Sagrados todas as vezes que eu me encontrar em perigo. Que meus inimigos encarnados ou desencarnados, desta vida ou de outras vidas que já vivi, sejam envolvidos nas poeiras formadas pelos vossos ventos e levados para longe de mim, e que seja transmutado do íntimo deles todo ódio e rancor.

Senhor Exu Ventania, agradeço respeitosamente e vos peço que traga para minha vida tudo de positivo que for do meu merecimento. Que o Senhor esteja comigo e eu com o Senhor, para que, mesmo que eu me envergue diante de algumas circunstâncias, eu não caia. Que o Senhor ouça meus clamores, se for do meu merecimento.

Que assim seja. Amém!

Salve o Sagrado Senhor Exu Ventania!

Salve a nossa Umbanda Sagrada!

9 – Prece ao Sagrado Senhor Exu Guardião da Meia-Noite

Sagrado Senhor Exu Guardião da Meia-Noite, conhecedor de incontáveis Mistérios Divinos, entre eles os Mistérios da noite, da Lua, das ruas e das encruzilhadas; o Senhor que é um grandioso aplicador da Lei, atuante à esquerda do nosso Divino Criador, que não castiga um inocente, mas não deixa impune um culpado, e socorre todos os que têm amor pela vida. Respeitosamente, de joelhos diante do Senhor nesse momento, peço o vosso auxílio divino; ajudai-me a encontrar dentro de mim o desejo de crescer, de evoluir, de perdoar e ser perdoada(o), de ser bondosa(o) e humilde.

Anulai no meu íntimo o desejo de vingança e de maldade. Não permitais que egoísmo, ódio, rancores, mágoas, vícios e as coisas mundanas me arrastem para a escuridão das trevas. Ajudai-me a entender que estou nesse meio apenas de passagem e preciso buscar o conhecimento em todos os campos da vida. Curai minha alma para que eu possa enxergar e valorizar os bens espirituais. Que eu possa entender que, a cada dia que amanhece, para mim é uma página em branco que o meu Criador bondosamente me concede. Ajudai-me a conter meu negativismo e controlar as palavras que profiro com maldade e que ferem meus irmãos.

Sagrado Senhor Exu Guardião da Meia-Noite, neste momento, com todo respeito ao Senhor, peço que, perante os poderes contidos em vós e nos Sagrados Mistérios da Meia-Noite, o Senhor adentre minha casa e dilua dela, da minha família, do meu espírito, da minha matéria e dos meus campos todas as energias e vibrações negativas enviadas a mim e atraídas por mim.

Recolhei todos os espíritos negativos, doentes, quiumbas, obsessores, eguns, atormentados, desequilibrados, desordenados, sombrios, trevosos, os que se perderam por minha causa, desta e de outras vidas que já vivi e que, por alguma razão, estejam me atormentando, desarmonizando minha casa, meus campos, minha família e atrasando minha evolução. Curai-os, equilibrai-os, regenerai-os e encaminhai-os para seus lugares de merecimento.

Sagrado Senhor Exu Guardião da Meia-Noite, reverencio-vos respeitosamente e peço que, perante os vastos Mistérios dos quais o Senhor é grande conhecedor e os Mistérios da vossa Lei, o Senhor anule todo o negativismo que envolve o íntimo dos meus inimigos. Curai-os de suas amarguras e rompei os fios negativos que me ligam a eles, mas, se ainda assim eles insistirem em me fazer mal, então, que o Senhor me proteja deles e mostre-lhes o quanto a vossa Lei é implacável e que quem deve a ela não fica impune.

Sagrado Senhor Exu Guardião da Meia-Noite, agradeço-vos com todo respeito ao qual o Senhor é merecedor e peço vossa bênção, vosso amparo e vossa proteção divina, e que o Senhor cure todos os males do meu corpo, do meu espírito e da minha alma. Trazei-me saúde, vigor, juventude e equilíbrio, e que eu tenha sabedoria para não desrespeitar vossas Leis, e assim, o Senhor só tenha a me defender, sem precisar me punir; que o Senhor envie vossas irradiações curadoras para todos que neste momento precisam e mereçam.

Que assim seja. Amém!

Salve o Sagrado Senhor Exu Guardião da Meia-Noite!

Salve a nossa Umbanda Sagrada!

10 – Prece ao Sagrado Senhor Exu Guardião das Cachoeiras

Sagrado Senhor Exu Guardião das Cachoeiras, conhecedor de incontáveis Mistérios Divinos, que traz convosco as forças e os Mistérios das Cachoeiras, que nas irradiações da Sagrada Mãe

Oxum domina com destreza os Mistérios dos Minerais, do Ouro e do Amor; de joelhos perante o Senhor, com fé, amor e respeito, clamo pelo vosso auxílio divino.

Peço que, neste momento, seja ativado um fio mineral sobre meu mental e que ele adentre meu eixo magnético e se espalhe pelos meus campos mediúnicos, energéticos, vibratórios, por meu perispírito, meu corpo carnal e meu espírito imortal. Que sejam purificadas e diluídas todas as impurezas, doenças, mágoas, rancores, tristezas, solidão, energias e vibrações negativas. Que sejam desmanchadas e anuladas todas as demandas e magias negativas existentes neles.

Sagrado Senhor Exu Guardião das Cachoeiras, clamo que me faça forte e destemida(o) como as águas das cachoeiras. Que eu não me acovarde diante das rígidas provações que a vida me impõe. Que eu não me anule diante das injustiças. Que eu me encontre dentro de mim e possa levar o amor por onde eu passar. Que nada nem ninguém me roube a luz, a alegria e o desejo de viver que existe dentro de mim. Que minha visão seja límpida para que eu possa enxergar os fatos como eles realmente são. Que eu não julgue os meus irmãos. Que eu não sofra, nem me culpe tanto pelos erros já cometidos, mas que busque sabedoria e discernimento para não cometê-los mais.

Sagrado Senhor Exu Guardião das Cachoeiras, clamo, também, que nas forças e Mistérios dos minerais o Senhor limpe e equilibre o íntimo dos meus inimigos; ensinai-os a caminhar pelos caminhos do bem e não permitais que eles me atinjam com seus sentimentos, palavras, ações e pensamentos negativos.

Peço-vos, também, que recolhais todos os espíritos negativos ligados a mim, à minha casa, aos meus campos e à minha família. Recolhei, também, os que se perderam por minha causa; curai-os, regenerai-os e encaminhai-os para seus lugares de merecimento. Que o Senhor me traga saúde, equilíbrio, fé, sabedoria, abundância, fartura e muito amor para o meu coração. Que o Senhor abrande o coração da humanidade, purifique e anule as doenças visíveis e não visíveis. Trazei a cura para todos nós, segundo o nosso merecimento.

Sagrado Senhor Exu Guardião das Cachoeiras, agradeço-vos respeitosamente e peço vossa bênção, vosso amparo e vossa proteção divina em todos os dias da minha jornada. Que minha alma e meu coração sejam nobres, límpidos e majestosos. Que eu tenha a força e a sabedoria das Águas Sagradas das Cachoeiras.

Que assim seja. Amém!

Salve vossas forças, Senhor Exu Guardião das Cachoeiras!

Salve a nossa Umbanda Sagrada!

11 – Prece ao Sagrado Senhor Exu Guardião do Fogo

Sagrado Senhor Exu Guardião do Fogo, grande conhecedor de poderosos Mistérios Divinos, entre eles os poderes do Sagrado Mistério do Fogo, da Magia e da Purificação; de joelhos perante o Senhor, com muita fé e respeito, peço vosso auxílio divino. Que o Senhor venha me socorrer, com os poderes do Sagrado Fogo abrasador, incandescente e purificador; adentrai meu eixo magnético, espalhai-vos pelos meus sete campos e corpos internos e rompei todos os cordões negativos que me ligam às esferas, às pessoas e aos espíritos negativos; purificai todos os tormentos, dores e aflições do meu mental, emocional, espírito e da minha matéria.

Desmanchai, purificai e anulai todas as demandas, magias negativas, magias negras, encantamentos e pragas rogadas que me foram enviados ou atraídos por mim. Purificai a escuridão da minha visão que me impede de enxergar a mim mesma(o), de enxergar as minhas próprias fraquezas. Fortalecei-me, trazei-me fé, sabedoria e dignidade para que eu possa seguir adiante com firmeza nos meus passos e, assim, agradar os olhos do meu Criador.

Abrandai as tempestades da minha vida e ensinai-me a ter humildade para vencer a soberbia, o ego, os vícios, a arrogância e a ignorância, para que, dessa forma, eu busque o conhecimento e não fale daquilo que não conheço, nem julgue os meus irmãos. Ensinai-me a silenciar minha mente e minha alma todas as vezes que me sentir perdida(o) diante das barreiras dos meus caminhos. Curai no fogo divino todos os males que atingem meu espírito e meu corpo carnal e me proteja das maldades desse meio.

Sagrado Senhor Exu Guardião do Fogo, peço que, juntamente com vossa falange e o Sagrado Mistério do Fogo, o Senhor purifique todas as energias e vibrações negativas existentes nos meus campos vibratórios, energéticos e mediúnicos; nos meus caminhos, nas minhas passagens, na minha casa, na minha família. Que sejam recolhidos, curados, purificados, reordenados e encaminhados para os seus lugares de merecimento todos os espíritos negativos ligados a mim e aos meus, os que se perderam na escuridão por sua própria ignorância ou por minha causa. Que vossa Lei Divina tenha piedade deles e de mim.

Sagrado Senhor Exu Guardião do Fogo, que, perante vossos domínios, vossa Lei Divina e vosso fogo abrasador, o Senhor purifique o corpo e o espírito dos meus inimigos. Diluí todo ódio, inveja, rancor e amarguras de seus corações, mas, se mesmo assim, vierem na minha direção com maldade, que vosso fogo divino chegue primeiro até mim, juntamente com vossa Lei.

Sagrado Senhor Exu Guardião do Fogo, eu vos agradeço respeitosamente e peço o Senhor que me proteja, ampare, guarde e me dê vossa bênção em todos os dias da minha caminhada. Que o Senhor me dê tudo que seja do meu merecimento. Peço, também, que vosso fogo consumidor passe neste momento pela Terra, purifique e consuma todas as doenças infecciosas, contagiosas e de todas as espécies.

Que assim seja. Amém!

Salve o Sagrado Senhor Exu Guardião do Fogo!

Salve a Nossa Umbanda Sagrada!

12 – Prece ao Sagrado Senhor Exu Guardião dos Pântanos

Sagrado Senhor Exu Guardião dos Pântanos, conhecedor de tantos Mistérios grandiosos e da podridão da língua felina de muitos seres que se dizem humanos que vivem nesse meio terreno. O Senhor sabe o quão grande pode ser a maldade deles, mas o Senhor também conhece os ditames das Leis Divinas para todos os que agem com a escuridão no coração e vivem prejudicando seus irmãos.

Peço-vos respeitosamente, Grande Senhor, que venhais me socorrer e me libertar desse encharcamento de dores, mágoas, ódio, aflições e medo. Ensinai-me a deixar para trás tudo aquilo que já não faz parte da minha vida; ensinai-me a não desejar o mal para aqueles que me feriram; ensinai-me a ter nobreza na alma e a grandeza de não julgar.

Sagrado Senhor Exu Guardião dos Pântanos, que nos Mistérios das Águas dos Lagos sejam purificadas todas as energias e vibrações negativas do meu corpo carnal, do meu espírito, dos meus campos, do meu lar e dos meus familiares; que meu coração seja umedecido para que nele brotem as sementes da bondade, humilde, fé, sabedoria, do amor e do perdão.

Que nos Mistérios dos Vegetais dos vossos pântanos sejam curadas todas as doenças dos nossos corpos, espiritual, carnal, emocional e mental. Que os bons sentimentos não sejam congelados diante das ofensas a mim dirigidas. Que eu não seja atingida(o) por palavras destrutivas, amargas e sem compaixão. Ensinai-me a lidar com meu deserto íntimo. Mostrai-me que as terras áridas têm outros fins que não sejam o cultivo de flores e vegetais, mas que o amor do nosso Criador está presente em todos os cantos da natureza.

Sagrado Senhor Exu Guardião dos Pântanos, que nas águas frias do vosso Sagrado Ponto de Forças seja removido e congelado tudo que escurece minha visão e me arrasta para os caminhos sombrios; não permitais que nada nem ninguém me impeça de crescer e de evoluir em todos os campos da vida. Que fique nas profundezas dos vossos pântanos e sob vossos cuidados toda maldade que meus inimigos me enviam em forma de pensamentos, palavras, sentimentos e elementos; que eles acordem para a vida, busquem sua ascensão perante o Criador e caminhem sem ódio e rancor. Que sejam recolhidos, curados e encaminhados para seus lugares de merecimento todos os espíritos negativos ligados a mim, à minha casa e à minha família.

Sagrado Senhor Exu Guardião dos Pântanos, peço que o Senhor traga para minha vida, purificado e equilibrado, tudo que for do meu merecimento e que eu saiba zelar por tudo aquilo que meu Criador bondosamente me concedeu e me concede; que eu saiba agradecer o que recebo todos os dias.

Sagrado Senhor Exu Guardião dos Pântanos, agradeço-vos respeitosamente e peço perdão pela minha ignorância perante vossos Mistérios Sagrados. Que o Senhor me acolha, proteja e abençoe na minha jornada e não permita que eu me afunde em vícios, na ignorância, no ego, na tristeza, apatia e solidão. Que por meio dos vossos Mistérios e das vossas forças chegue a cura para todos os males existentes na Terra, segundo o nosso merecimento.

Que assim seja. Amém!

Salve o Sagrado Senhor Exu Guardião dos Pântanos!

Salve a nossa Umbanda Sagrada!

13 – Prece ao Sagrado Senhor Exu Guardião das Matas

Sagrado Senhor Exu Guardião das Matas, o Senhor que é conhecedor de muitos Mistérios Divinos, entre eles, um dos mais belos da criação, que são as matas e tudo contido nelas; de joelhos perante o Senhor, com muito respeito, pedimos vosso auxílio divino, pois a cada dia que passa nos perdemos mais em meio a nosso ego, nossa luxúria, arrogância, ignorância e a nossa falta de fé, e nos esquecemos da beleza da vida e da Criação Divina.

Que com vossa sabedoria o Senhor nos ensine que os sentimentos e pensamentos virtuosos são a chave para nossa evolução, que só assim podemos trilhar os caminhos luminosos e agradar os olhos do nosso Criador. Não permitais que nos percamos nos universos negativos que nos levam a ser prisioneiros de nós mesmos. Ajudai-nos a vestir nossa alma de nobres sentimentos, libertai-nos das amarras que nos prendem na dor, no ódio, na amargura e no rancor. Ajudai-nos a buscar a reforma do nosso próprio íntimo e transmutar todo negativismo existente nele para que, assim, possamos nos ajudar e auxiliar com equilíbrio, fé e sabedoria os irmãos necessitados. Ensinai-nos a dominar nossos medos, sermos fortes, bondosos, a sermos caridosos e a ter amor pela vida.

Sagrado Senhor Exu Guardião das Matas, é com muito respeito, fé e amor que neste momento pedimos que o Senhor, juntamente com a vossa falange, adentre nossa casa e anule todas as energias e vibrações negativas existentes nela, em nossos campos e em nossa família. Que sejam recolhidos todos os espíritos negativos que lá estejam – os doentios, desequilibrados, enfermiços, tacanhos, escurecidos, os quiumbas, os obsessores, os trevosos e os que se perderam por nossa causa. Curai-os, reordenai-os e encaminhai-os para seus lugares de merecimento. Pedimos, também, que, perante vossos Sagrados Mistérios e vossa sabedoria, o Senhor cuide dos nossos inimigos e liberte-os dos rancores, das mágoas, da inveja e do ódio que os consome. Ensinai a eles como é grandioso ter sentimentos positivos, ter fé e amor pelo seu semelhante. Mostrai-lhes, e a nós também, que Deus não é invisível, que Ele está presente em tudo que olhamos com amor.

Sagrado Senhor Exu Guardião das Matas, nós vos agradecemos e pedimos vossa bênção, vosso amparo, vossa sustentação e vossa proteção Divina em todos os dias da nossa jornada. Trazei-nos saúde, vigor, juventude, equilíbrio, sabedoria, fé, prosperidade e abundância. Que as energias e vibrações luminosas dos verdes das matas curem todos os males existentes em nosso corpo material, em nosso espírito imortal, em nosso emocional e em nosso mental. Que cure também todas as doenças que neste momento circulam no meio em que vivemos e traga o conforto para todos nós. Que o Senhor esteja presente em nossas vidas e não nos permita fraquejar diante das adversidades e, se for do nosso merecimento, que perante as Leis Divinas nossos pedidos sejam atendidos.

Que assim seja. Amém!

Salve o Sagrado Senhor Exu Guardião das Matas!

Salve a nossa Umbanda Sagrada!

14 – Prece ao Sagrado Senhor Exu do Lodo

Sagrado Senhor Exu do Lodo, conhecedor de incontáveis Mistérios Divinos e que, juntamente com Pai Omolu, Pai Obaluaiê e Mãe Nanã Buruquê, traz consigo as forças do encontro da terra com as águas. Que entre os muitos Mistérios os quais o Senhor conhece, trabalha com sabedoria e grandiosidade com os Mistérios da Transmutação e da Absorção; de joelhos perante o Senhor, com fé, respeito e amor, venho pedir o vosso auxílio.

Peço que vós transmuteis as energias negativas que pesam sobre o meu corpo, a minha mente e o meu coração. Transmutai o lodo da minha vida, fazei do meu corpo carnal um lugar limpo e purificado para o meu espírito imortal fazer uma boa morada nele e ajudai-me a zelar pelos dois. Curai-o de todas as doenças, pragas e pestes existentes nesse meio; peço por mim, minha casa, minha família e por toda a humanidade vivente nessa terra, segundo o nosso merecimento. Que saibamos colocar Deus em todas as nossas ações.

Sagrado Senhor Exu do Lodo, que perante os Mistérios sob vossa guarda sejam transmutados, diluídos e anuladas todas as cargas energéticas negativas enviadas a mim, ou atraídas por mim e que sejam desmanchadas todas as magias negativas, demandas, magias negras, pragas rogadas, bruxarias, encantamentos e vudus ativados contra mim, minha casa e minha família. Decantai meus sentimentos, limpai minha alma e transformai em positivo tudo o que em minha vida precise ser transformado. Cuidai de mim e não permitais que eu me afunde no lodo do egoísmo, da falsidade, ganância, soberbia, luxúria e ignorância.

Sagrado Senhor Exu do Lodo, que nos Mistérios das Águas, da Terra, das Pedras e do Lodo o Senhor me proteja e não permita que eu ande por caminhos deslizantes, frios e traiçoeiros. Mas, se por ignorância minha eu cair, que o Senhor esteja presente; com vossa força e vosso poder me levante e me conduza para minha evolução. Peço, também, que o Senhor decante a podridão do íntimo dos meus inimigos e torne úmidos os seus corações para que, assim, nasçam bons sentimentos e deixem de fazer maldades. Peço que o Senhor recolha todos os espíritos negativos ligados a mim, à minha casa e à minha família. Curai-os, regenerai-os e encaminhai-os para seus lugares de merecimentos.

Sagrado Senhor Exu do Lodo, eu vos agradeço respeitosamente e peço vossa bênção, vosso amparo e vossa proteção divina todos os dias da minha jornada. Que o Senhor abra meus campos e caminhos e decante tudo de negativo existente neles; que o Senhor transforme em límpidas as águas turvas da minha vida, e, quando eu fizer a minha passagem para o outro lado da vida e meu corpo carnal estiver sob o peso da terra e das águas, peço que liberte meu espírito imortal e o conduza pelos caminhos da luz.

Que assim seja. Amém!

Salve as vossas forças, Senhor Exu do Lodo!

Salve a nossa Umbanda Sagrada!

15 – Prece ao Sagrado Senhor Exu Marabô

Sagrado Senhor Exu Marabô, conhecedor de inúmeros Mistérios Divinos, entre eles, o Criador vos permitiu conhecer os Mistérios do Campo-Santo, das Ruas, das Encruzilhadas e da Cura; de joelhos perante o Senhor, viemos pedir o vosso auxílio. Não permitais que fraqueza, desânimo, apatia e falta de esperança invadam nosso ser. Ensinai-nos a sermos pequenos para que possamos ser grandes perante o Criador.

Mostrai-nos que é na humildade que evoluímos. Sagrado Senhor Exu Marabô, não permitais que a vaidade e o egoísmo nos arrastem para os abismos, nem que o ódio escureça nossa visão, nem que a falta de fé nos impeça de lutar, nem que a falta de amor nos impeça de enxergar a grandeza do Criador, nem que a ignorância nos afunde nas trevas da escuridão. Ensinai-nos que são os nossos próprios pensamentos e sentimentos negativos que atraem enfermidades para o nosso corpo e espírito; ensinai-nos a aceitar nossas qualidades e defeitos e a amar a nós mesmos antes de amarmos quem quer que seja.

Sagrado Senhor Exu Marabô, mostrai-nos que nossas obras são tão importantes quanto a nossa fé aos olhos do nosso Criador, e que Ele não quer ver nenhum dos seus filhos em sofrimento. Ensinai-nos que a luz e as trevas estão lado a lado, e que cabe a nós decidirmos em qual das duas vamos fazer morada. Não permitais que dores, tormentos e solidão se instalem em nosso ser.

Purificai a tristeza, a mágoa e o rancor que sentimos quando nos lembramos dos que nos feriram. Mostrai-nos que cada dia que perdemos com sentimentos negativos não volta mais. Mostrai-nos como dominar nossos desejos desvirtuados e viver com amor, bondade, gratidão, sabedoria e equilíbrio perante os obstáculos nos nossos caminhos.

Sagrado Senhor Exu Marabô, pedimos que, perante os vossos Mistérios Divinos, o Senhor dilua toda maldade, magias, sentimentos e pensamentos negativos dos nossos inimigos, por nós e os nossos por eles, para que possamos caminhar com a alma leve e o coração sereno, a fim de alcançar o nosso crescimento e evolução.

Que o Senhor recolha todos os espíritos negativos, necessitados de socorro, que estejam ligados a nós, aos nossos campos, nossa casa e nossa família. Curai-os, regenerai-os e encaminhai-os para os seus lugares de merecimento.

Sagrado Senhor Exu Marabô, nós vos agradecemos respeitosamente. Pedimos a cura para todos os males existentes nesse meio humano. Trazei a paz e a alegria para nossos corações e que o Senhor abençoe nossa casa, nossa família, nosso trabalho, tudo e a todos ligados a nós. Que nas ruas e nas encruzilhadas das nossas vidas, o Senhor esteja presente para nos conduzir à melhor direção.

Pedimos perdão pelas nossas fraquezas humanas, as faltas e falhas que cometemos todos os dias. Que sejamos envolvidos por vossos Mistérios Divinos todas as vezes que o Senhor achar necessário, se formos merecedores.

Que assim seja. Amém!

Salve o Sagrado Senhor Exu Marabô!

Salve a Nossa Umbanda Sagrada!

16 – Prece aos Sagrados Senhores Exus Mirins

Sagrados Senhores Exus Mirins, grandiosos Guardiões da Lei à esquerda do nosso Criador, que conhecem incontáveis Mistérios Divinos, cujo Criador de tudo e de todos vos concedeu, dentro da Lei Divina, o direito de abrir nossas portas e desamarrar, desfazer, desatar, desmanchar qualquer nó das nossas vidas, mas também vos concedeu o direito de atar todos os nós necessários e trancar todas as portas quando infringimos as Leis Divinas e não aprendemos pelo amor, para que, assim, possamos crescer e evoluir sob as duras penas da Lei.

Os Senhores, que trabalham incansavelmente em nosso benefício, ao cortarem trabalhos de magia negra, ao realizarem grandiosos trabalhos de combate aos seres trevosos e a nos protegerem contra o baixo astral. Neste momento, de joelhos perante os Senhores, peço perdão por tantas injúrias cometidas nesse meio em vosso sagrado nome por pura ignorância humana.

Sagrados, Senhores Exus Mirins, de joelhos perante os Senhores, com muita fé, amor e respeito, clamo por vosso auxílio divino e peço que me libertem da minha arrogância, do meu ego e da minha ignorância. Desmanchai os nós da minha vida que, muitas vezes, são feitos por mim mesma(o) quando uso o meu livre-arbítrio de forma desordenada, com desrespeito às Leis Divinas. Desfaçai os amarrilhos que me prendem a dores, solidão e em tormentos. Quebrai as correntes que me aprisionam em mágoa, ódio, inveja, maldade, soberbia e vícios.

Sagrados Senhores Exus Mirins, que trabalham rigorosamente para que alcancemos nosso grau consciencial na luz, peço que cortem, desamarrem, desmanchem e anulem todos os trabalhos negativos de vibrações, energias doentias e enfermiças, encantamento, bruxaria, magia elementalizada de magia negra, magia espelhada e todas as magias negativas em forma de pensamentos, sentimentos e palavras, tanto as atraídas por mim quanto as enviadas a mim, que, por alguma razão, envolvem a mim, minha casa, minha família, meus campos mediúnicos, vibratórios e energéticos, meus caminhos, meu espírito e minha matéria. Que os Senhores me fortaleçam diante das dificuldades do meu dia a dia, tragam-me o equilíbrio e não permitam que as lágrimas molhem meus olhos de tristeza, medo e solidão.

Sagrados Senhores Exus Mirins, clamo que me tragam saúde, vigor, juventude, equilíbrio mental, emocional, espiritual e material. Também peço para que os Senhores atuem sobre meus inimigos e desatem todos os nós que os aprisionam na escuridão dos seus próprios íntimos. Libertai-os dos rancores, das mágoas e do ódio contra mim, mas libertai-me dos meus rancores, das minhas mágoas e do meu ódio contra eles, e que sejam rompidos todos os fios negativos que nos unem.

Sagrados Senhores Exus Mirins, peço ainda, que, perante vossos Mistérios Sagrados, os Senhores recolham, curem, equilibrem e encaminhem para seus lugares de merecimentos todos os espíritos negativados ligados a mim, minha casa e minha família – os desequilibrados, doentios, escurecidos, trevosos, quiumbas, obsessores, eguns e os que se perderam por minha causa ou por sua própria ignorância e livre-os de seus tormentos.

Sagrados Senhores Exus Mirins, eu vos agradeço e peço que me abençoem, amparem e protejam, hoje e em todos dos dias da minha vida, e que os Senhores estejam presentes a me direcionar todas as vezes que eu me perder nos caminhos das ilusões e da luxúria. Trazei a cura para todos os males que envolvem a humanidade, segundo o merecimento de cada um.

Que Assim seja. Amém!

Salve os Sagrados Senhores Exus Mirins!

Salve a nossa Umbanda Sagrada!

17 – Prece ao Sagrado Senhor Exu Pantera Negra

Sagrado Senhor Exu Pantera Negra, que caminha pelo Reino das Matas Virgens sendo um grande quimbandeiro, que comanda uma grande falange, que se agrupou na Umbanda Sagrada trazendo grandiosos ensinamentos e auxiliando na evolução dos que desejam evoluir. O Senhor, que conhece incontáveis Mistérios Divinos e entre outros Mistérios traz consigo o profundo conhecimento das ervas, flores, sementes e das raízes; que é portador de agilidade, força e sabedoria; que é elegante por excelência, quebra demandas, feitiços e magias.

Nosso Criador concedeu ao Senhor o poder de curar doenças vistas como incuráveis pelos humanos. O Senhor, que só se faz presente onde for extremamente necessário, sem fazer alvoroço, pois chegar em silêncio é uma das vossas grandes qualidades e, apesar de ser belo, poderoso, elegante e ágil, traz consigo humildade e muita sabedoria.

Sagrado Senhor Exu Pantera Negra, eu vos saúdo e vos reverencio respeitosamente, e me ajoelho perante o Senhor para clamar e pedir vosso auxílio. Clamo que o Senhor venha me socorrer e me libertar dos abismos nos quais muitas vezes, eu mesma(o) me coloco, por pura ignorância minha. Libertai-me das amarguras e tormentos. Ensinai-me a ser ágil e sair dos ambientes onde não me querem bem e usam falsidade, calúnia, julgamento, preconceito e injustiça contra mim.

Não permitais que eu me enfraqueça diante das pessoas de corações frios, sem fé, humildade, bondade e amor. Ajudai-me a cumprir com fé, amor e respeito as Leis Divinas, a missão que foi designada pelo meu Criador. Ensinai-me a silenciar sobre minhas decisões e meus projetos, e que eu não fale sobre aquilo que não conheço. Ensinai-me a ser melhor para mim e, assim, poder ser melhor para os que estão à minha volta.

Sagrado Senhor Exu Pantera Negra, clamo que, nos Mistérios da vossa elegância e beleza, o Senhor me ensine a fortalecer meu amor-próprio e enxergar as bênçãos e belezas que meu Criador me mostra todos os dias, e que eu saiba que sou luz por onde passo. Peço que o Senhor me ensine a manter essa luz acesa permanentemente, todos os dias da minha caminhada, transmutando, renovando e equilibrando meu emocional, mental, corpo carnal e espiritual para que, assim, eu permaneça iluminada(o).

Sagrado Senhor Exu Pantera Negra, clamo, também, que nos Mistérios das Ervas, flores, sementes e raízes o Senhor traga a cura para todas as doenças do meu corpo material e espiritual, de meu mental, emocional e minha alma, as já manifestadas e as que possam estar incubadas.

Que o Senhor cure, também, todas as doenças que envolvem minha família, minha casa e todos que sejam merecedores. Que meus inimigos sejam curados de suas mágoas, ódios e rancores que sentem por mim. Que sigam seus caminhos e não atrapalhem os meus.

Peço, ainda, que o Senhor recolha, cure, reordene e encaminhe a seus lugares de merecimento todos os espíritos negativos ligados a mim, minha casa e minha família e os que se perderam por minha causa. Que o Senhor, com vossa grande sabedoria e poder, auxilie na cura de toda a humanidade segundo o merecimento de cada um.

Sagrado Senhor Exu Pantera Negra, agradeço-vos respeitosamente e peço que o Senhor perdoe minha ignorância, as faltas e falhas aqui cometidas. Que o Senhor perdoe também todos aqueles que não o conhecem e, por ignorância, acreditam que o Senhor é maldoso, voraz e violento. Clamo por vossa bênção e proteção divina a mim, minha casa, minha família e todos que sejam merecedores. Gratidão, grande Senhor. Laroyê.

Que assim seja. Amém!

Salve o Sagrado Senhor Exu Pantera Negra!

Salve a Quimbanda!

Salve a nossa Umbanda Sagrada!

18 – Prece ao Sagrado Senhor Exu Rei das Sete Encruzilhadas

Sagrado Senhor Exu Rei das Sete Encruzilhadas, Rei em inúmeros campos de forças do lado esquerdo do nosso Divino Criador, que é conhecedor de poderosos Mistérios Divinos e do íntimo dos encarnados, e também das nossas dores, tormentos e aflições; que não nega auxílio a quem clama pelo vosso nome com amor, fé e respeito; de joelhos perante o Senhor, clamo por vosso auxílio divino. Que, juntamente com vossa Sagrada Falange, o Senhor venha me socorrer e recolha, dilua e anule tudo que age negativamente contra mim nos meus campos mediúnicos, vibratórios, energéticos, espírito imortal e no meu corpo carnal.

Que sejam desmanchadas e anuladas todas as magias negativas, magias negras em forma de pensamentos, elementos, sentimentos e palavras, enviadas a mim e atraídas por mim. Peço, também, que sejam recolhidos, curados, regenerados e encaminhados para seus lugares de merecimento todos os espíritos negativos ligados a mim – os doentes, desequilibrados, desordenados, atormentados, escurecidos, trevosos e que se perderam por minha causa. Recolhei, também, todos os elementos mágicos vivos ativos e pensantes que, por alguma razão, estejam ativados ou atuando negativamente contra mim, minha casa, minha família, meus guias e espíritos protetores.

Sagrado Senhor Exu Rei das Sete Encruzilhadas, peço que, perante os Sagrados Mistérios das Sete Encruzilhadas, dos quais o Senhor é grande conhecedor, sejam quebradas todas as muralhas que escurecem minha visão e não me deixam enxergar a beleza e a grandeza do amor divino. Que sejam rompidas todas as correntes que aprisionam minha alma, meu corpo, meu espírito e me impedem de caminhar rumo à minha evolução.

Livrai-me das tentações mundanas, dos vícios, das pessoas de má-fé, das línguas ferinas e do mal disfarçado de bem. Não permitais que minha ignorância me arraste para lugares sombrios e cheios de ilusões.

Sagrado Senhor Exu Rei das Sete Encruzilhadas, clamo que o Senhor não permita que meus inimigos me atinjam com seu ódio, suas mágoas, seus ranços e rancores; recolhei do íntimo deles tudo que os atormenta quando se lembram de mim ou quando ouvem meu nome. Ensinai-os a caminhar pelos caminhos do bem, mas se eles se aproximarem de mim com maldade em seus pensamentos, sentimentos, atitudes e palavras, que o Senhor me proteja, ofusque a visão deles e não permita que eles me enxerguem.

Sagrado Senhor Exu Rei das Sete Encruzilhadas, agradeço-vos respeitosamente e peço perdão pelas minhas faltas e falhas aqui cometidas e pela minha ignorância perante o Senhor. Que o Senhor me dê vossa bênção, vosso amparo e vossa sustentação divina, hoje e em todos os dias da minha jornada.

Que os seres humanos sejam curados de todas as doenças do corpo e da alma, segundo o merecimento de cada um. Se por ignorância ou medo eu me sentir perdida(o) nas encruzilhadas da minha vida, que o Senhor esteja presente para me direcionar.

Que assim seja. Amém!

Salve o Sagrado Senhor Exu Rei das Sete Encruzilhadas!

Salve a nossa Umbanda Sagrada!

19 – Prece ao Sagrado Senhor Exu Tiriri das Almas

Sagrado Senhor Exu Tiriri das Almas, grande conhecedor de Mistérios grandiosos e poderosos; que é Rei onde o Senhor se faz presente; que não deixa cair quem deseja ficar em pé; que recolhe, cura, reordena e encaminha todos os espíritos que sofrem no Campo-Santo, no Cruzeiro das Almas ou onde eles estiverem merecendo vosso auxílio; o Senhor, que domina vosso Sagrado Punhal com destreza onde se fizer necessário e que não nega socorro a todos que são merecedores; de joelhos perante o Senhor, peço vosso auxílio. Vinde me socorrer e me libertar de tantas amarguras e aflições. Libertai-me da escuridão dos meus olhos que não me deixam enxergar nada além de dores e sofrimento; libertai-me dos sentimentos desordenados que insistem em aparecer no meu coração.

Sagrado Senhor Exu Tiriri das Almas, clamo que venhais até mim com vosso Sagrado punhal, que cureis minhas feridas abertas e enterreis no passado tudo que me causa tormentos e lágrimas no presente. Ensinai-me a viver minha vida de forma equilibrada, com pensamentos positivos, e que eu saiba deixar para trás os fardos que não são meus.

Que eu tenha sabedoria para cumprir minha missão sem lamentos e sem denegrir as Leis Divinas. Ajudai-me a ultrapassar as barreiras dos meus caminhos, ensinai-me a desapegar de tudo e de todos que me impedem de evoluir.

Sagrado Senhor Exu Tiriri das Almas, peço, também, que o Senhor recolha, cure, reordene e encaminhe todos os espíritos negativos, quiumbas, eguns, obsessores, trevosos, os que se perderam por minha causa, doentios, enfermiços e todos que estejam ligados negativamente a mim, minha casa, minha família, meus campos e caminhos. Que o Senhor chegue até meus inimigos e, nas forças dos vossos Mistérios, cuide do íntimo deles purificando todo ódio, as mágoas e rancores, e que o Senhor me mantenha longe do alcance deles.

Sagrado Senhor Exu Tiriri das Almas, clamo que, juntamente com vossa falange, o Senhor desmanche, anule e quebre todas as demandas, encantamentos, bruxarias, magias negras que envolvem meu nome, meu corpo carnal, meu espírito imortal, minha casa e minha família, e que sejam recolhidos, curados, reordenados e encaminhados todos os espíritos envolvidos nessas ações negativas. Que o Senhor traga à minha vida tudo de positivo que me leva a crescer e evoluir perante meu Criador.

Sagrado Senhor Exu Tiriri das Almas, agradeço-vos respeitosamente e peço vossa bênção, vosso amparo e vossa proteção divina em todos os dias da minha jornada, e que comigo o Senhor esteja todas as vezes que for necessário. Que o Senhor me traga vosso axé e renove minhas energias. Que acalente os corações de todos os que sofrem de solidão e de falta de amor, e traga a cura para essa terra sagrada.

Que assim seja. Amém!

Salve o Sagrado Senhor Exu Tiriri das Almas!

Salve a nossa Umbanda Sagrada!

20 – Prece ao Sagrado Senhor Exu Tranca-Ruas

Sagrado Senhor Exu Tranca-Ruas, conhecedor de incontáveis Mistérios Divinos, entre eles, os Sagrados Mistérios dos Caminhos, ao Senhor nosso Criador concedeu a permissão para abrir e fechar nossos caminhos de acordo com nosso merecimento; o Senhor, que realiza grandiosos trabalhos em nosso benefício, quando pedimos com fé, amor e respeito. O Senhor, que é um poderoso aplicador da Lei no ponto de forças do Senhor Ogum, que acolhe os caídos em seus domínios sob os ditames da Lei; de joelhos perante o Senhor, com muita fé, amor e respeito, clamo por vosso auxílio Divino.

Que o Senhor me auxilie em todas as minhas necessidades. Que cure minhas dores, tormentos e aflições. Que perante os Sagrados Mistérios dos Caminhos, o Senhor me redirecione e me conduza pelas trilhas do crescimento e da evolução para que, assim, eu possa me libertar da arrogância, do egoísmo, da soberbia, das ilusões e da ignorância.

Sagrado Senhor Exu Tranca-Ruas, que o Senhor me liberte dos grilhões que me aprisionam e me arrastam pelos vales escuros e frios. Não permitais que o ódio, a mágoa e o rancor façam morada no meu coração. Curai meu espírito, minha matéria, meu mental, meu emocional e abri meus caminhos, campos, portas e passagens. Purificai tudo que houver de negativo neles. Ensinai-me a ser um bom instrumento do meu Criador.

Que eu possa proferir palavras de conforto para os que se encontram em desespero. Que eu seja luz para mim mesma(o) e para os que se sentem na escuridão. Que eu seja o amor aonde quer que eu vá. Que nos poderes dos Mistérios das Ruas, os quais o Senhor domina com destreza, sejam cortadas, purificadas e anuladas todas as magias negras, encantamentos, bruxarias, demandas, pragas rogadas e todas as ações negativas em forma de pensamentos, sentimentos, atos, palavras e elementos, enviados a mim ou atraídos por mim, nesta vida e em outras vidas que já vivi.

Que sejam recolhidos, curados, reordenados, reequilibrados e encaminhados para seus lugares de merecimento todos os espíritos negativos, doentes, desordenados, desequilibrados, quiumbas, eguns, obsessores, escurecidos, trevosos, os que se perderam por minha causa e os que estão ligados a mim negativamente pelos fios invisíveis da vida.

Sagrado Senhor Exu Tranca-Ruas, clamo, também, que o Senhor abençoe minha casa, minha família e todos os que são merecedores do vosso auxílio divino. Que o Senhor cuide dos meus inimigos, encarnados ou não. Anulai o sentimento de vingança, ódio, mágoa, rancor, ciúme e inveja que sentem por mim. Purificai o íntimo deles, mas se ainda assim eles desejarem fazer mal a mim e aos meus, então, que o Senhor me ensine a não revidar e os coloque sob os ditames da vossa Sagrada Lei.

Sagrado Senhor Exu Tranca-Ruas, peço, ainda, que fortaleça minha fé, coragem e saúde. Que eu possa caminhar sem deturpar as Leis Divinas. Se, por ignorância minha, eu errar com meus irmãos, que eu tenha humildade para pedir perdão, e que não me perca na escuridão do meu próprio íntimo, que, muitas vezes, insiste em aparecer. Se diante das barreiras dos meus caminhos eu sentir medo do perigo, que o Senhor se faça presente e me cubra com vossa Sagrada Capa e me conduza para que eu possa seguir em frente.

Sagrado Senhor Exu Tranca-Ruas, eu vos agradeço respeitosamente e peço saúde, vigor, juventude, equilíbrio, sabedoria, fé, prosperidade e harmonia para cumprir, aqui na carne, a missão que o Criador me designou. Que as minhas virtudes sejam maiores que meus vícios. Que o Senhor perdoe minha ignorância perante vossos Mistérios. Clamo que o Senhor auxilie na cura de toda a humanidade, segundo o merecimento de cada um.

Que assim seja. Amém!

Salve o Sagrado Senhor Exu Tranca-Ruas!

Salve a nossa Umbanda Sagrada!

II – POMBAGIRAS

21 – Prece às Sagradas Senhoras Pombagiras

Sagradas Senhoras Pombagiras, conhecedoras de incontáveis Mistérios Divinos, entre eles, os Sagrados Mistérios do Amor, da Magia, dos Desejos e dos Estímulos em todos os campos da vida, que têm vossos domínios à esquerda do Criador, que são atuantes da Luz e da Lei, que realizam grandiosos e poderosos trabalhos em nossos benefícios, que aplicam vossa Lei apenas aos devedores dela; de joelhos perante as Senhoras clamo por vosso auxílio divino.

Que com vossas forças e irradiações vivas e divinas, as Senhoras me deem vosso amparo e esgotem em mim todos os vícios que fazem mal à minha alma, ao meu espírito e à minha matéria. Que eu não seja aprisionada(o) por nenhum sentimento desequilibrado. Ensinai-me a não ser egoísta e libertai-me das mágoas, da solidão, das aflições, do ódio, dos rancores e dos amores desvirtuados. Equilibrai meu mental e emocional para que eu possa seguir minha caminhada e ultrapassar as barreiras impostas pela vida.

Sagradas Senhoras Pombagiras, clamo que perante vossos Sagrados Mistérios as Senhoras anulem da minha vida, do meu espírito, da minha matéria, dos meus campos mediúnicos, vibratórios e energéticos todas as energias e vibrações negativas que me envolvem, tanto as enviadas a mim quanto as atraídas por mim.

Que perante os Mistérios dos vossos Sagrados Xales sejam recolhidos dos meus sete campos, dos meus sete caminhos, das minhas sete portas, das minhas sete passagens, do meu espírito, da minha matéria, da minha casa e da minha família todos os espíritos negativos, quiumbas, eguns, obsessores, trevosos, escurecidos, doentios, apáticos, os que se perderam por minha causa, ou estão ligados negativamente a mim pelos fios invisíveis da vida.

Curai-os, regenerai-os, reordenai-os e encaminhai-os para seus lugares de merecimento. Peço, também, que as Senhoras cuidem dos meus inimigos, encarnados ou não, desta e de outras vidas que já vivi, purifiquem de seu íntimo o negativismo, o ódio, as magoas, os rancores e a escuridão, e afaste-os de mim.

Sagradas Senhoras Pombagiras, clamo que reordenem minha vida e despertem em mim o estímulo e o desejo em todos os campos. Que nas irradiações divinas da nossa Sagrada Mãe Oxum, as Senhoras me ensinem a amar, respeitar e ajudar a mim mesma(o) e aos meus irmãos. Que eu possa enxergar a importância do amor na minha existência humana para que, assim, meu coração se torne leve e transborde de alegria.

Que nas irradiações da nossa Sagrada Mãe Iemanjá, as Senhoras levem às profundezas do Mar Sagrado tudo de negativo que me rodeia e tragam para minha vida apenas o que é meu por merecimento, e que seja acentuada a minha criatividade.

Que junto à Divina Mãe Nanã Buruquê sejam decantadas todas as energias e vibrações negativas que envolvem a mim, minha casa e minha família. Que sejam fortalecidas a nossa saúde e fé, e que tenhamos a sabedoria para discernir entre o certo e o errado.

Que com os poderes, magias e Mistérios da nossa divina Santa Sara Kali e do Sagrado Povo Cigano, cheguem até mim a abundância, a prosperidade, a liberdade, a alegria e as boas energias. Que sejam cortadas, desmanchadas, quebradas e anuladas todas as ações e magias negativas, magias negras, demandas, bruxarias, encantamentos e pragas rogadas em forma de pensamentos, elementos, atos e palavras, enviados a mim ou atraídos por mim, desta e de outras vidas que já vivi. Que assim, eu possa seguir meus caminhos e cumprir minha missão com vossa bênção, amparo, proteção e sustentação divina.

Sagradas Senhoras Pombagiras, é com muita fé, amor e respeito, dos quais as Senhoras são merecedoras, que agradeço e peço que não permitam que nada nem ninguém interfira negativamente no meu crescimento e evolução espiritual e material. Que as Senhoras perdoem os que denigrem vosso sagrado nome, por pura ignorância e preconceito.

Que assim seja. Amém!

Salve as vossas Forças Sagradas, Senhoras Pombagiras!

Salve a nossa Umbanda Sagrada!

22 – Prece à Sagrada Senhora Pombagira Cigana

Sagrada Senhora Pombagira Cigana, grande conhecedora de incontáveis Mistérios Divinos, entre eles, os Sagrados Mistérios dos Encantos, da Magia, dos Desejos, dos Estímulos, dos Caminhos, do Amor e da Cura; a Senhora, que atua à esquerda do Criador em prol da Luz e da Lei, que é portadora da alegria, da fé, da coragem, da liberdade e da sabedoria, e que não deixa impune os que infringem as Leis Divinas por vaidade ou por orgulho, principalmente os que maltratam e humilham os mais fracos.

É com muito amor, fé e respeito à Senhora que clamo por vosso auxílio divino. Vinde me socorrer, libertai-me de todo ódio e amargura que corroem meu coração. Libertai-me da tristeza e das dores que fazem minhas lágrimas caírem. Libertai-me dos vícios que me arrastam para os caminhos sem luz e sem amor. Libertai-me das ilusões, da escravidão emocional e dos tormentos da alma.

Sagrada Senhora Pombagira Cigana, não permitais que o medo me impeça de buscar meus objetivos. Libertai-me da solidão que me entristece. Que eu possa ter boas palavras para proferir. Que eu tenha bons ouvidos para ouvir. Que eu tenha boas mãos para afagar. Que eu tenha bons olhos para enxergar. Que eu não seja prisioneira(o) de mim mesma(o) nem dos maus intencionados que se fazem presentes na minha vida. Que eu possa caminhar pelas estradas da minha vida de cabeça erguida com coragem e fé. Que eu possa deixar para trás tudo que me causa dor e sofrimento.

Sagrada Senhora Pombagira Cigana, que nos Mistérios das Cores de vossas vestes e na sabedoria que a Senhora possui, clamo que traga para a minha vida tudo de positivo que é meu por merecimento, mas que por alguma interferência negativa não chegou até mim, e me ensine a cultivar tudo aquilo que é importante para a minha evolução espiritual e material.

Peço também que, juntamente com a vossa sagrada falange, a Senhora adentre minha casa e recolha dela, da minha família, dos meus campos e caminhos todos os espíritos negativos, obsessores, doentes, desequilibrados, atormentados, eguns, escurecidos e trevosos que estejam ligados a mim atrasando a minha evolução. Recolhei, ainda, os que se perderam por minha causa e os que se perderam no tempo e na escuridão. Reordenai-os, curai-os e encaminhai-os para seus lugares de merecimento libertando-os de seus tormentos.

Sagrada Senhora Pombagira Cigana, peço que vós cuideis dos meus inimigos, purifiqueis todo o negativismo que os envolvem e os liberteis do ódio e rancor que sentem por mim. Ensinai-lhes os bons caminhos, mas se assim não desejarem, então, mostrai-lhes os ditames das Leis que a Senhora conhece e não permitais que se aproximem de mim nem dos meus.

Sagrada Senhora Pombagira Cigana, respeitosamente vos agradeço e peço vossa bênção, vosso amparo e vossa proteção divina todos os dias da minha caminhada. Clamo, também, que vós abençoeis a minha casa e minha família, e nos tragais saúde, equilíbrio, sabedoria, alegria, fé, harmonia, prosperidade, amor e abundância.

Que a Senhora me envolva nos vossos Mistérios Divinos e anule todas as magias e ações negativas, encantamentos, pragas rogadas, magias negras, bruxarias e demandas em formas de pensamentos, atos, elementos e palavras, enviados a mim e atraídos por mim, desta vida e outras que já vivi.

Que na minha estrada da vida a Senhora esteja presente para me fortalecer todas as vezes que eu fraquejar diante dos obstáculos. Clamo que a Senhora auxilie na cura dos vírus e de todos os males que envolvem essa terra sagrada, segundo o nosso merecimento.

Que assim seja. Amém!

Salve vossas forças, Senhora Pombagira Cigana!

Salve a nossa Umbanda Sagrada!

23 – Prece à Sagrada Senhora Pombagira do Lodo

Sagrada Senhora Pombagira do Lodo, grande conhecedora de poderosos Mistérios Divinos, que trabalha com destreza com os Mistérios da Limpeza Astral, que conhece os meios para purificar as impurezas do espírito e da matéria dos encarnados; de joelhos perante a Senhora, peço vosso auxílio divino. Que por meio dos vossos Mistérios Sagrados, vós removais todo o lodo do meu íntimo, do meu espírito, do meu corpo carnal e me tragais o equilíbrio.

Sagrada Senhora Pombagira do Lodo, clamo que sejam purificadas todas as gosmas que invadem meus pensamentos, palavras e sentimentos e que acabam me levando a cometer injúrias contra meus irmãos. Ensinai-me a não me fazer de vítima dos problemas, nem me acovardar diante deles. Purificai todos os miasmas que invadem minha alma e me levam ao descontrole emocional e mental. Afugentai de mim tudo e todos que impedem o meu crescimento e evolução.

Sagrada Senhora Pombagira do Lodo, eu vos clamo que, perante vossa sabedoria e os Mistérios do fundo dos lagos, sejam curados todos os males do meu corpo e espírito, e que sejam recolhidos todos os espíritos negativos, doentios, escurecidos, tacanhos, trevosos, obsessores e os que se perderam por minha causa, nesta vida e em outras vidas que já vivi. Curai-os, regenerai-os, reordenai-os e encaminhai-os para seus lugares de merecimento.

Que a Senhora depure o íntimo dos meus inimigos, remova a lama negra dos seus corações e mostre a eles que é possível viver sem ódio e rancor. Que a Senhora amenize o peso que carrego em minhas costas, porque sou leiga (o) e muitas vezes não sei lidar com as adversidades da vida. Que a Senhora purifique tudo de negativo que houver em minha casa, em minha família, em meus campos e passagens, e me ensine a caminhar de cabeça erguida, pés sobre o chão e Deus no coração.

Sagrada Senhora Pombagira do Lodo, agradeço-vos respeitosamente e peço perdão por ser tão ignorante perante a Senhora. Que a Senhora me banhe nas sagradas águas dos vossos lagos todas as vezes que meu espírito e matéria estiverem impregnados de impurezas, vibrações e energias negativas, tanto as enviadas a mim quanto as atraídas por mim.

Que sejam quebrados, desfeitos e anulados as magias negras, bruxarias, encantamentos e demandas que envolvem a mim, minha casa e minha família. Que a Senhora me dê vossa bênção, vosso amparo e vossa proteção Divina. Que enalteça a nobreza em minha alma e me ensine a viver com coragem, fé, sabedoria, responsabilidade, bondade, amor e desejo de ascender espiritual e materialmente em todos os campos e sentidos da minha vida.

Que assim seja. Amém!

Salve a Sagrada Senhora Pombagira do Lodo!

Salve a nossa Umbanda Sagrada!

24 – Clamor à Senhora Pombagira Maria Mulambo

Sagrada Senhora Pombagira Maria Mulambo, conhecedora de incontáveis Mistérios Divinos e que domina com doçura, firmeza e sabedoria os Sagrados Mistérios da Magia, do Amor e da Cura. A Senhora, cujo nome simbólico não condiz com a pobreza, e sim com o desapego à luxuria; que auxilia todos que vos clamam com fé, amor e respeito; que é grande auxiliadora dos menos favorecidos; que juntamente com vossa sagrada e numerosa falange, também conhece e domina os Mistérios da Lei; de joelhos perante a Senhora, com fé, amor e respeito, clamo por vosso auxílio divino.

Vinde me libertar dos abismos dos meus caminhos, em que, muitas vezes, sou eu mesma(o) que me coloco neles, quando me perco no egoísmo e na escuridão do meu próprio íntimo. Vinde quebrar e desmanchar os feitiços, os encantamentos, as bruxarias e as magias negras, enviados a mim ou atraídos por mim, desta vida e de outras que já vivi. Purificai meus pensamentos e sentimentos; ensinai-me a ser forte, humilde e simples, a ter bondade no meu coração e, principalmente, a ter amor por mim mesma(o).

Sagrada Senhora Pombagira Maria Mulambo, clamo que não permitais que eu caia nas armadilhas dos amores distorcidos, ilusórios e desequilibrados; que a Senhora me afaste das pessoas falsas, maldosas e de corações vazios. Abri meus campos, caminhos e purificai tudo de negativo existente neles. Purificai, também, todas as energias e vibrações negativas que rondam minha vida, minha casa e minha família. Recolhei todos os espíritos negativos ligados a nós, curai-os e encaminhai-os para os seus lugares de merecimento.

Sagrada Senhora Pombagira Maria Mulambo, clamo neste momento que, juntamente com as Sagradas Senhoras Maria Padilha e Maria Quitéria, vós tragais a cura para todas doenças que invadem meu espírito, minha matéria, meu emocional e meu mental. Não permitais que desânimo, angústia, apatia e tristeza tomem conta de mim. Que eu tenha fé, coragem e sabedoria para ultrapassar todos os obstáculos que surgirem na minha vida, e que eu coloque Deus sempre no comando das minhas ações para que, assim, vossa Sagrada Lei esteja a me amparar e não a me punir.

Sagrada Senhora Pombagira Maria Mulambo, agradeço respeitosamente e clamo por vossa bênção, vosso amparo e vossa proteção divina em todos os dias da minha caminhada. Clamo, também, que a Senhora retire dos meus caminhos todos aqueles que me odeiam, apedrejam, julgam, desejam o mal e vibram negativamente contra mim. Cuidai deles e conduzi-os para seu crescimento e evolução. Que a Senhora perdoe minha ignorância perante vossos Sagrados Mistérios e que traga a cura para esse meio humano, segundo o nosso merecimento.

Que assim seja. Amém!

Salve a Sagrada Senhora Pombagira Maria Mulambo!

Salve a Sagrada Senhora Pombagira Maria Padilha!

Salve a Sagrada Senhora Pombagira Maria Quitéria!

Salve a nossa Umbanda Sagrada

25 – Prece à Sagrada Senhora Pombagira Maria Navalha

Sagrada Senhora Pombagira Maria Navalha, que tem vosso domínio à esquerda do Criador, conhece Grandiosos Mistérios Divinos, e atua ao lado do Seu Zé Pilintra sempre que necessário for e traz consigo os Sagrados Mistérios da Noite, da Magia, da Cura, das Lâminas e da Sabedoria. Que não deixa impunes os traidores, agressores, violentadores, caluniadores e coloca sob os ditames da Lei todos aqueles que acham que ser malandro e boêmio é ferir, maltratar e humilhar seu semelhante.

Sagrada Senhora Pombagira Maria Navalha, a Senhora que com vossa beleza, grandeza, habilidade e sabedoria cuida de todos que com fé, amor e respeito clamam por vosso auxílio. Neste momento, de joelhos perante a Senhora, peço vosso auxílio divino. Ajudai-me a caminhar nesse meio tão conturbado, repleto de dores, angústias, injustiças, crueldades e ingratidão. Libertai-me dos vícios, do ódio, das mágoas, dos rancores, dos tormentos da alma e dos labirintos nos quais me perco todas as vezes que enfraqueço minha fé e esqueço que meu Criador não abandona seus filhos.

Sagrada Senhora Pombagira Maria Navalha, ensinai-me que minha evolução só depende de mim mesma(o) e que não devo apontar meus irmãos como culpados pelos meus fracassos. Que, perante os Sagrados Mistérios das Lâminas Sagradas e da vossa poderosa navalha, sejam cortados pela raiz todos os males que atingem meu corpo, meu espírito, meus caminhos, meus campos, minha casa e minha família.

Que seja cortado e anulado tudo de negativo que nos envolve, principalmente magias negras, bruxarias, encantamentos negativos e pragas rogadas a mim e por mim, desta vida e de outras vidas que já vivi. Ensinai-me que a maior malandragem desse meio é saber viver a minha própria vida sem julgar, discriminar e caluniar os meus irmãos, e sem carregar o peso do preconceito no meu coração.

Sagrada Senhora Pombagira Maria Navalha, neste momento, clamo que adentreis minha casa e recolhais dela, da minha família, dos meus campos e caminhos todos os espíritos negativos que estejam ligados a mim; recolhei, também, os espíritos sombrios, obsessores, trevosos e os que se perderam no tempo e na escuridão. Curai-os e encaminhai-os para onde serão esclarecidos e recolocados em seus lugares de merecimento.

Peço, ainda, que a Senhora cure o íntimo dos meus inimigos e anule a raiva, a inveja, os ciúmes e os rancores que sentem por mim; mostre a eles que esses sentimentos negativos os afastam do Criador e os arrastam para a escuridão. Que na lâmina afiada da vossa Sagrada Navalha sejam cortados todos os males que eles fazem e desejam a mim e aos meus. Que sejam cortados, também, todos os cordões energéticos que me ligam aos espíritos e às esferas negativas. Trazei-me saúde, amor, alegria, equilíbrio, sabedoria e desejo pela vida.

Sagrada Senhora Pombagira Maria Navalha, respeitosamente vos agradeço, peço perdão pelas minhas faltas e falhas cometidas perante a Lei Divina e suplico que a Senhora me proteja, guie-me, ampare-me, abençoe-me e, com destreza e sabedoria, defenda-me todas as vezes que eu estiver em perigo.

Que assim seja. Amém!

Salve a Senhora Pombagira Maria Navalha!

Salve Seu Zé Pilintra!

Salve a nossa Umbanda Sagrada!

26 – Prece à Sagrada Senhora Pombagira Maria Padilha das Almas

Sagrada Senhora Pombagira Maria Padilha das Almas, conhecedora de incontáveis Mistérios Divinos, entre eles domina com destreza os Sagrados Mistérios do Campo-Santo, dos estímulos e dos desejos em todos os campos da vida; que conhece o íntimo dos encarnados e sabe das nossas necessidades; de joelhos perante a Senhora e vossos Sagrados Mistérios, venho pedir o vosso auxílio.

Neste momento a reverencio e, respeitosamente, vos peço que venhais em meu socorro, pois muitas vezes me sinto perdida(o) nesse meio em que vivo. Parece-me que as paredes se aproximam umas das outras enquanto estou entre elas. Sinto meu coração minúsculo diante de tantas injustiças e dissabores com os quais me deparo. Ajudai-me, grandiosa Senhora, a enfrentar com sabedoria a difícil batalha comigo mesma(o). Ensinai-me que sou eu a(o) responsável pelos meus atos e pela minha evolução, e que cada irmão é responsável pelos seus. Não permitais que, por ingenuidade e ignorância, eu segure a mão de quem me aniquila e suga minhas energias, mas que eu seja humilde para ajudar quem deseja ser ajudado.

Primeiramente, que a Senhora me ensine a cuidar de mim mesma(o) para que eu esteja forte e equilibrada(o) para cumprir com tudo que me foi designado pelo Criador. Que os maus pensamentos e sentimentos não invadam meu mental nem meu coração. Que a tristeza, a solidão e as doenças do espírito e da matéria não cheguem até mim, nem façam parte da minha vida. Peço, também, que a Senhora desmanche e anule todas as mandingas, feitiços, encantamentos e bruxarias ativados contra mim, minha casa e minha família. Curai e encaminhai os espíritos envolvidos nessas ações negativas, segundo o merecimento deles.

Sagrada Senhora Pombagira Maria Padilha das Almas, que todos os amores que forem meu de merecimento passem pelas vossas Sagradas Mãos e pelos vossos Sagrados Mistérios para que, assim, cheguem até mim purificados, reordenados, iluminados e equilibrados. Que eu possa estar inteira onde quer que eu esteja, aonde quer eu vá.

Que a Senhora esteja comigo e eu com a Senhora para que, assim, nada nem ninguém atrase minha caminhada. Ajudai-me a entender com amor que tudo e todos que chegam à minha vida são para minha evolução. Que eu tenha serenidade, paciência, fé, amor e compreensão para aguardar o tempo do Criador, que é diferente do meu, mas que meus desejos estejam em harmonia com os d'Ele para comigo.

Sagrada Senhora Pombagira Maria Padilha das Alma, agradeço-vos respeitosamente e peço que a Senhora recolha, cure e encaminhe para seus lugares de merecimento todos os espíritos ligados negativamente a mim, minha casa, minha família, meus campos e caminhos. Também peço que cuide dos meus inimigos, cure o íntimo deles e os mantenha longe de mim e dos meus. Que a Senhora perdoe minhas fraquezas e minha ignorância, fortaleça minha fé, minha saúde, minha coragem e meu amor-próprio.

Peço, também, que a Senhora leve conforto e auxílio divino a todos os que, neste momento, se encontram adoentados, desempregados, aflitos, desesperados e aos que estão com lágrimas nos olhos e corações doendo por amores mal resolvidos e desequilibrados. Ajudai-os, curai-os segundo seus merecimentos. Abençoai a mim, minha casa, minha família, meu trabalho e todos que pedem, precisam e merecem vossa bênção divina.

Que assim seja. Amém!

Salve a Sagrada Senhora Pombagira Maria Padilha das Almas!

Salve a nossa Umbanda Sagrada!

27 – Prece à Sagrada Senhora Pombagira Maria Quitéria

Sagrada Senhora Pombagira Maria Quitéria, vós que sois Rainha por onde passais, grande conhecedora de incontáveis Mistérios Divinos, entre eles, dominais com magnitude os Mistérios da Magia da Noite e da Cura; que trazeis convosco a força e a sabedoria do Povo Cigano, que zelais pelos mais necessitados e não deixais de socorrer aqueles que vos pedem e vos clamam com amor, fé e respeito; de joelhos perante a Senhora, venho clamar por vosso auxílio. Purificai o meu mental e libertai-me dos maus pensamentos.

Purificai minha visão e ensinai-me a enxergar as belezas que existem na minha vida. Purificai minhas cordas vocais e libertai-me dos nós que se alojam na minha garganta e fazem minhas lágrimas caírem. Purificai meu coração e libertai-me das dores, das mágoas e dos rancores que vêm do passado e do presente e corroem a minha alma. Purificai minhas costas e libertai-me dos fantasmas e monstros que muitas vezes atraio. Purificai os meus chacras e alinhai-os, purificai meu corpo carnal e meu espírito, trazei-me equilíbrio, discernimento e ensinai-me a priorizar o amor-próprio.

Sagrada Senhora Pombagira Maria Quitéria, clamo, ainda, que a Senhora me ensine que de nada adianta conquistar tudo que desejo se tiver de perder a minha alma. Que de nada adianta eu me ajoelhar e orar, se meu coração estiver infectado de ódio e de maldade. Que de nada adianta eu ajudar um irmão e querer me vangloriar mostrando ao mundo que o ajudei. Que de nada adianta eu dizer que amo e não demonstrar com gestos. Nada disso é válido aos olhos do meu Criador.

Sagrada Senhora Pombagira Maria Quitéria, vinde em meu auxílio. Desmanchai, quebrai e anulai todas as magias negativas enviadas a mim e atraídas por mim; encantamentos, magias negras, demandas, vudus, bruxarias, pragas rogadas e tudo que houver de negativo que envolve a mim, minha casa e minha família. Defendei-nos com vosso Sagrado Punhal e cobri-nos com vosso poderoso e Sagrado Xale. Que nos Mistérios da vossa Dança Sagrada, a Senhora anule todo o negativismo dos meus inimigos e os afaste de mim. Que eles cresçam, evoluam e sigam seus caminhos.

Que nos vossos Sagrados Mistérios, e juntamente com vossa falange, a Senhora adentre minha casa e recolha dela todos os espíritos negativos que lá estejam precisando de socorro. Curai-os e encaminhai-os para seus lugares de merecimento. Peço, também, que a Senhora recolha todas as fontes vivas que estejam atuando negativamente na minha vida, no meu corpo, no meu espírito e nos meus campos mediúnicos, vibratórios e energéticos. Reordenai-as, reequilibrai-as e encaminhai-as para suas esferas de origem.

Sagrada Senhora Pombagira Maria Quitéria, agradeço-vos respeitosamente e peço vossa bênção, vosso amparo e a vossa proteção divina em todos os dias da minha jornada. Fortalecei minha saúde, fé, coragem e o meu amor pela vida. Perdoai minhas fraquezas e minha ignorância. Que a Senhora me ensine a ter dignidade, humanidade, independência, liberdade e responsabilidade. Trazei a cura para todos que neste momento precisam ser curados, segundo o merecimento de cada um.

Que assim seja. Amém!

Salve a Sagrada Senhora Pombagira Maria Quitéria!

Salve a nossa Umbanda Sagrada!

28 – Prece à Sagrada Senhora Pombagira Rosa Caveira

Sagrada Senhora Pombagira Rosa Caveira, conhecedora de incontáveis Mistérios Divinos, Rainha na falange do Senhor Exu Caveira e dona da própria falange; que domina grandiosos Mistérios no Sagrado Campo-Santo; que trabalha com seriedade em prol da Luz e da Lei; que com firmeza nas palavras ajuda na evolução dos seres humanos quando esses desejam evoluir. A Senhora, que tem o poder de amedrontar os espíritos trevosos e malignos, colocando-os em seus devidos lugares; que também não deixa impune os injustos, egoístas e maldosos; que entre inúmeros Mistérios do vosso conhecimento, também é uma grandiosa curandeira, pois domina com sabedoria os Mistérios da Cura e da Magia.

Sagrada Senhora Pombagira Rosa Caveira, eu vos saúdo e vos reverencio respeitosamente e me ajoelho perante a Senhora para clamar vosso auxílio divino. Clamo que a Senhora anule em mim o desânimo, a apatia, o medo, a angústia, as dores, os vícios e os tormentos da minha alma. Quebrai, desmanchai e anulai todas as demandas, feitiços, encantamentos negativos, magias negras em formas de pensamentos, elementos e palavras, enviados a mim e atraídos por mim, desta vida e de outras que já vivi.

Ajudai-me a trilhar essa árdua jornada chamada vida. Ajudai-me a não me perder nos caminhos sombrios; ensinai-me a fortalecer a minha autoestima e não me deixeis ser influenciada(o) por pessoas negativas; ensinai-me a zelar pelo meu jardim interior para que nele nasçam rosas perfumadas e que eu saiba lidar com os espinhos que a vida me impõe. Que eu entenda e aceite que a vida é feita de altos e baixos, alegrias e tristezas, trevas e luz, e que cabe a mim a importância que darei a cada momento; que eu aprenda a não aceitar as injustiças, e que eu não seja injusta(o) nem comigo nem com ninguém.

Que a Senhora me ajude nas minhas causas difíceis que julgo perdidas, as quais, por minha ignorância, não consigo resolver. Peço, também, que a Senhora, juntamente com vossa falange, adentre minha casa e anule todas as energias e vibrações negativas e recolha todos os espíritos negativos ligados a mim, minha casa, meus campos e minha família, assim como os que se encontram perdidos em meio ao Campo-Santo por ignorância. Curai-os, regenerai-os e encaminhai-os para seus lugares de merecimento. Que a Senhora cuide dos meus inimigos, encarnados ou não, que cure o íntimo deles e mostre-lhes os caminhos da evolução.

Sagrada Senhora Pombagira Rosa Caveira, peço que a Senhora cure todos os males que envolvem meu corpo físico e espiritual, meus órgãos internos e externos, meu emocional, meu mental e equilibre e alinhe os meus chacras. Trazei prosperidade, fé, coragem, saúde, sabedoria, amor e alegria para minha vida. Peço-vos, também, que tragais a cura para essa terra sagrada e à humanidade perdida nos seus egoísmos e nos seus desejos de poder material. Colocai sob os ditames da vossa Lei todos que causam sofrimentos aos mais fracos porque são maldosos, soberbos e injustos.

Sagrada Senhora Pombagira Rosa Caveira, agradeço-vos respeitosamente, peço perdão pelas minhas faltas e falhas aqui cometidas por minha ignorância. Que a Senhora me abençoe, abençoe minha casa, minha família e todos que sejam merecedores. Clamo, ainda, que a Senhora me traga uma pétala da vossa Sagrada Rosa, para enxugar minhas lágrimas quando meu coração não suportar a dor e deixá-las cair sobre o meu rosto.

Que assim seja. Amém!

Laroyê, Grandiosa Senhora!

Salve a Sagrada Senhora Pombagira Rosa Caveira!

Salve a nossa Umbanda Sagrada!

29 – Prece à Sagrada Senhora Pombagira Sete Saias

Sagrada Senhora Pombagira Sete Saias, que é regida pelo poder reinante dos desejos e dos estímulos na hierarquia do nosso Divino

Criador, que traz Mistérios distintos em cada uma de suas sete saias, que não nega auxílio aos que clamam por ele com boas intenções; que dá preciosos conselhos aos que estão dispostos ao ouvi-los; que, entre muitos Mistérios, conhece bem os da Magia, do Amor e da Cura; de joelhos perante a Senhora, peço vosso auxílio. Vinde me socorrer e esgotar em mim todos os vícios e desejos desordenados. Ensinai-me a zelar por meu corpo carnal e pelo meu espírito imortal. Não permitais que eu ultrapasse os limites das Leis Divina.

Sagrada Senhora Pombagira Sete Saias, atuai no meu mental freando e ordenando todos os meus excessos emocionais. Purificai em mim todos os rancores e tormentos que escurecem minha alma e me afastam do meu Criador. Ensinai-me a direcionar minhas energias na construção de novos caminhos repletos de amor, bondade e alegria. Ensinai-me a ver meus irmãos prosperarem e sentir alegria por eles, em vez de inveja. Que eu tenha o desejo e o estímulo para buscar meus objetivos, sem denegrir meu próximo, levando apenas amor, bondade e alegria no meu coração para que, assim, eu possa evoluir perante o Criador.

Sagrada Senhora Pombagira Sete Saias, amparai e fortalecei todas as mães encarnadas que sofrem por seus filhos doentes, pelos que se encontram presos nas grades visíveis aos olhos humano, pelos que se perderam no mundo das ilusões e os que partiram para o outro lado da vida. Que a Lei Divina tenha piedade das mães que rejeitam seus filhos nascidos ou ainda em seus ventres, mas que a Lei Divina também tenha piedade de todos nós que ainda vivemos nesse meio, pois somos errantes e ignorantes perante ela.

Sagrada Senhora Pombagira Sete Saias, que nos Mistérios sob vossa guarda, a Senhora quebre, desmanche e anule todas as magias negativas, magias negras, bruxarias, encantamentos e demandas enviados a mim ou atraídos por mim, desta vida e de outras vidas. Que sejam recolhidos todos os espíritos negativos alojados em minha vida, em minha casa, em meus campos e na minha família. Recolhei, também, os que se perderam por minha causa; que eles sejam todos curados, reordenados e encaminhados para seus lugares de merecimento. Também peço que, nos poderes dos Mistérios contidos em vossas sete saias, sejam diluídos todo ódio, raiva, ranço, inveja, ciúme e mágoa que meus inimigos sentem por mim. Que sejam diluídas também todas as energias e vibrações negativas que eles enviam a mim. Purificai o íntimo deles e não permitais que me atinjam com atos, pensamentos, elementos e palavras.

Sagrada Senhora Pombagira Sete Saias, eu vos agradeço respeitosamente e peço vossa bênção, proteção e amparo Divino em todos os dias da minha jornada. Que a Senhora me traga saúde, equilíbrio, sabedoria, fé e desejo de amar a mim e aos meus irmãos. Protegei-me dos perigos existentes nos meus caminhos e ocultai-me nos vossos Mistérios Divinos todas as vezes que a Senhora achar necessário, se eu for merecedora(o).

Que assim seja. Amém!

Salve vossas Forças, Senhora Pombagira Sete Saias!

Salve a nossa Umbanda Sagrada!

30 – Prece à Sagrada Senhora Pombagira Tereza da Praia

Sagrada Senhora Pombagira Tereza da Praia, conhecedora de inúmeros Mistérios Divinos, que tem vosso ponto de forças na Grande Calunga e com destreza domina os Mistérios que existem lá; que por meio desses Mistérios tem sabedoria, poder e força para zelar e auxiliar a todos que vos clamam com fé, amor e respeito; de joelhos perante a Senhora e vossos Mistérios, venho pedir vosso auxílio.

Não permitais, minha Senhora, que eu me perca nos barcos das ilusões, das dores e das aflições. Não permitais que as areias do ódio e da mágoa ceguem minha visão. Não permitais que as águas revoltas da minha ignorância me arrastem por caminhos sombrios.

Sagrada Senhora Pombagira Tereza da Praia, clamo que nos movimentos das ondas do Mar Sagrado, eu seja despertada(o) para a vida, para a luz e os caminhos do crescimento e da evolução. Que na grandeza e na beleza dos vossos Mistérios seja trazida até mim, minha casa, minha família e a todos que sejam merecedores, a cura para todas as enfermidades que invadem o nosso corpo carnal, bem como espiritual, emocional e mental, para que assim possamos caminhar com equilíbrio, fé e sabedoria, sempre com a Senhora a nos guiar.

Sagrada Senhora Pombagira Tereza da Praia, clamo que neste momento a Senhora sacuda vosso Sagrado Xale sobre as areias do Mar Sagrado e ofusque a visão dos meus inimigos, dos maus intencionados, dos invejosos, dos que não querem me ver evoluir e dos que vibram negativamente contra mim. Que a Senhora me oculte nos vossos Mistérios Sagrados para que eles não me enxerguem, nem me alcancem com suas negatividades, mas que a Senhora purifique o íntimo deles e os conduza para os caminhos do bem, mesmo que seja necessário colocá-los sob vossa Lei Divina.

Sagrada Senhora Pombagira Tereza da Praia, clamo, também, que perante vossos Mistérios e vossa Sagrada Falange marítima, a Senhora adentre minha casa e anule todas as energias e vibrações negativas existentes nela e na minha família. Peço que a Senhora recolha, cure, regenere e encaminhe para seus lugares de merecimento todos os espíritos necessitados de socorro que lá estejam.

Que a paz, o amor, a prosperidade, a alegria e a harmonia estejam presentes na minha casa e na minha vida todos os dias da minha existência nesse meio. Se eu errar perante a Lei Divina, comigo ou com meus irmãos, que a Senhora me banhe nas Águas do Mar Sagrado. Purificai-me de todo negativismo e trazei-me equilíbrio, discernimento e sabedoria para seguir meu caminho com fé, amor, coragem e bondade no meu coração.

Sagrada Pombagira Tereza da Praia, agradeço-vos e peço que perdoeis minhas fraquezas, faltas e falhas aqui cometidas, e que na melodia das ondas do Mar Sagrado eu seja protegida(o) amparada(o) e abençoada(o) todos os dias da minha jornada. Que a Senhora me traga tudo de positivo que seja meu por merecimento, e que eu saiba zelar por tudo que a Senhora me trouxer.

Que assim seja!

Salve a Sagrada Senhora Pombagira Tereza da Praia!

Salve a Nossa Umbanda Sagrada!

III – SAGRADOS PAIS E MÃES ORIXÁS

31 – Oração às Sete Mães Orixás

Sagradas Mães Orixás, conhecedoras de incontáveis Mistérios Divinos, vós que socorreis com amor e sabedoria todos que precisam do vosso auxílio, de joelhos diante das Senhoras, pedimos que nos deis vosso auxílio divino.

À Sagrada e Divina Mãe Oyá, pedimos que nos Mistérios do Tempo sejam diluídos nossas dores, nosso ódio, nossas mágoas, nossos rancores, nosso egoísmo e todos os males que fazemos e desejamos aos nossos semelhantes, bem como os males que eles fazem e desejam a nós, desta e de outras vidas que já vivemos. Que sejam recolhidos, curados e encaminhados todos os espíritos que se perderam no tempo e os que estejam ligados a nós negativamente.

À Sagrada Mãe Oxum, pedimos que nos deis consciência, discernimento, fé, serenidade e amor. Que a Senhora nos ensine a amar a nós mesmos e aos nossos irmãos para que, assim, possamos seguir nosso percurso e ultrapassar as barreiras dos nossos caminhos com amor, fé e coragem. E que a paz, o amor e a harmonia se façam presentes em nossos lares.

À Sagrada Mãe Obá, pedimos que, em vossa sabedoria e vosso conhecimento, nos ensineis a encontrar forças, fé, equilíbrio e firmeza para não fraquejar diante de tantos tropeços. Que nas forças e nos Mistérios da Terra a Senhora nos traga saúde, sabedoria, prosperidade e fartura. Ensinai-nos, também, a plantar as sementes da fé, do amor, da bondade e da humildade.

À Sagrada Mãe Iansã, pedimos que no clarão dos vossos Sagrados Raios sejam iluminados nossos caminhos, e que nos turbilhões dos vossos ventos sejam levados para longe de nós tudo de negativo que nos envolve. Ensinai-nos a dominar as tempestades do nosso próprio íntimo e ajudai-nos a vencer nossas fraquezas e nossos medos.

À Sagrada Mãe Egunitá, pedimos que recolhais, cureis, purifiqueis e encaminheis, nos Mistérios do Fogo Divino, todos os espíritos afins que estão ligados a nós, por nós mesmos, em alguma esfera negativa, e recolha todos os que se perderam na escuridão, por sua própria ignorância. Que a Senhora quebre e anule todas as magias negativas enviadas a nós ou por nós, em forma de pensamentos, elementos, atos e palavras e, também, purifique os cordões negativos que nos ligam aos nossos inimigos; que o íntimo deles seja curado do ódio, da inveja, da mágoa e dos rancores que sentem por nós.

À Sagrada Mãe Nanã Buruquê, pedimos que recolhais e decanteis de nosso espírito, nossa matéria, nosso íntimo, nossa família e nossa casa tudo que existe de negativo. Trazei a cura para todos os males que escurecem nossa alma e adoecem nosso espírito e corpo carnal, para que, curados, possamos agradar aos olhos do nosso Divino Criador e caminhar rumo à nossa evolução.

À Sagrada Mãe Iemanjá, pedimos que banheis, purifiqueis, energizeis e harmonizeis nosso íntimo, e que sejam levados para as profundezas do vosso Mar Sagrado todas as nossas dores, aflições e tormentos. E que nos traga, em vossas Ondas Sagradas, saúde, alegria, amor, equilíbrio, fé, prosperidade, harmonia, criatividade e sabedoria, para que, assim, possamos evoluir em todos os campos e sentidos de nossas vidas, e que a Senhora nos ensine o valor da caridade, do amor e do perdão.

Sagradas e Divinas Mães Orixás, nós vos agradecemos e pedimos vossa bênção, vosso amparo e vossa proteção divina para nossa família, nossa casa e todos que fazem parte da nossa vida e do nosso dia a dia. Envolvei-nos em vossos Sagrados Mistérios, em vossa luz divina, todos os dias da nossa jornada, e que as Senhoras com vossa imensa bondade nos perdoem por nossas falhas humanas.

Que assim seja. Amém!

Salve Mãe Oyá!

Salve Mãe Oxum!

Salve Mãe Obá!

Salve Mãe Iansã!

Salve Mãe Egunitá!

Salve Mãe Nanã!

Salve Mãe Iemanjá!

Salve a nossa Umbanda Sagrada!

32 – Prece à Sagrada Mãe Egunitá

Sagrada Mãe Egunitá, grande conhecedora de poderosos Mistérios Divinos e regente cósmica do fogo e da justiça; de joelhos perante a Senhora, peço vosso auxílio divino. Queimai, purificai e consumai todas as energias e vibrações negativas que envolvem a mim, minha casa e minha família. Que sejam purificados todos os meus excessos emocionais.

Que a Senhora traga equilíbrio para o meu mental. Que sejam consumidas e purificadas todas as energias e vibrações negativas que me fazem perder a coragem, a força, a fé e o amor por mim mesma(o). Energizai meu corpo carnal e meu espírito imortal para que eu possa caminhar com firmeza rumo à minha evolução.

Sagrada Mãe Egunitá, que vosso Fogo Divino passe pela minha casa consumindo tudo o que há de negativo nela e em minha família, e que, nas forças e nos poderes das Sagradas Chamas Divinas, sejam queimadas todas as ações e magias negativas enviadas a mim, as atraídas por mim e as enviadas por mim em forma de pensamentos, elementos, atos e palavras, desta e de outras vidas que já vivi, e que sejam purificados e curados todos os envolvidos nelas.

Que sejam recolhidas todas as fontes vivas que estejam alojadas em meu corpo, espírito e em meus campos, e que elas sejam reordenadas, energizadas e encaminhadas para suas esferas de origem. Purificai, também, todos os cordões que me ligam a esferas, pessoas e espíritos negativos. Que nas forças dos Mistérios do Fogo e da Justiça Divina seja consumido todo negativismo que envolve meus inimigos, e que suas visões, seus pensamentos e sentimentos sejam purificados e equilibrados para que, assim, eles se libertem do ódio e da maldade.

Sagrada Mãe Egunitá, que em vossos Sagrados Mistérios sejam recolhidos todos os espíritos negativos ligados a mim, minha casa e minha família, os que se perderam por minha causa e os perdidos no tempo e na escuridão. Que eles sejam curados, purificados, equilibrados e encaminhados para seus lugares de merecimento. Que vossa Justiça Divina se faça presente na vida de todos nós e que sejamos capazes de agir de acordo com ela.

Sagrada Mãe Egunitá, peço que vosso Fogo Divino incandescente aqueça meu coração, e que eu não perca a fé e a razão em meio à minha própria ignorância. Libertai-me dos tormentos da alma e trazei equilíbrio e direção à minha vida.

Sagrada Mãe Egunitá, agradeço-vos e peço que me tragais saúde, coragem, fé e prosperidade em todos os campos da minha vida. Que a Senhora me abençoe, proteja-me e me guarde em todos os dias da minha jornada e não permita que eu seja apedrejada(o) e julgada(o) pelo preconceito e ignorância alheia. Que nos Mistérios do Tempo a Senhora auxilie na cura de todos os males que atingem a humanidade, segundo nosso merecimento.

Que assim seja!

Salve a Sagrada Mãe Egunitá!

Salve a nossa Umbanda Sagrada!

33 – Oração à Sagrada Mãe Iansã

Sagrada Mãe Iansã, grande conhecedora de poderosos Mistérios Divinos, que, entre muitos deles, trazeis convosco os Mistérios dos Ventos, da Lei e dos Raios. Senhora guerreira, cheia de luz, de joelhos, peço o vosso auxílio divino. Que a Senhora chegue até mim trazendo vosso axé e me fortaleça na árdua jornada desse meio humano.

Que os turbilhões dos vossos ventos passem pela minha vida, recolhendo e anulando todas as minhas dores, mágoas, aflições e tormentos. Que sejam curadas todas as doenças que afetam meu corpo, meu espírito, minha matéria, meu mental e meu emocional. Que a Senhora purifique e cure todos os rancores do meu coração, meus pensamentos e sentimentos e tudo de negativo que age contra mim, minha casa e minha família.

Sagrada Mãe Iansã, que nos Sagrados Mistérios dos Ventos, a Senhora me traga saúde, equilíbrio, harmonia, coragem, discernimento, sabedoria, prosperidade, amor e alegria. Movimentai minha vida e impulsionai-me a seguir adiante com fé, sabedoria e coragem. Se nos tropeços dos meus caminhos eu me perder em meio à escuridão causada por mim mesma ou por quem quer que seja, que o clarão dos vossos Sagrados Raios clareie meus caminhos, purifique, reordene e reequilibre meus campos, meus corpos, meu espírito, meu mental e meu emocional, para que, assim, eu possa caminhar rumo à minha evolução.

Sagrada Mãe Iansã, se, por ignorância minha, eu perder a fé, a esperança, a coragem e a confiança em Deus, que o troar dos vossos trovões me desperte, equilibre-me, reordene-me e me traga a razão; que eu saiba agradecer por todas as bênçãos que meu Criador me concede todos os dias. Que perante vossos Sagrados Mistérios sejam recolhidos, curados, regenerados e encaminhados para os seus lugares de merecimento todos os espíritos negativos ligados a mim, à minha casa e minha família, os que se perderam por minha causa e os que se perderam no tempo por ignorância deles mesmos; libertai-os de seus tormentos perante a Lei Divina.

Sagrada Mãe Iansã, peço também que perante vosso ponto de forças seja purificado o íntimo dos meus inimigos. Libertai-os do ódio, da mágoa e dos rancores; mostrai-lhes os caminhos para a evolução, mas se eles não desejarem evoluir, então, que no brilho da vossa Sagrada Espada seja ofuscada a visão deles para que não me enxerguem, nem me enviem nenhuma ação negativa em forma de pensamentos, elementos, atos e palavras.

Sagrada Mãe Iansã, que um círculo de vento seja formado à minha volta para que nenhum espírito negativo e trevoso me atinja, e que sejam quebradas, desmanchadas e anuladas todas as magias negativas ativadas contra mim, minha casa e minha família. Que os ventos levem para longe de mim tudo que me causa mal. Que a Senhora traga tudo de positivo que eu precisar e merecer para crescer e evoluir.

Sagrada Mãe Iansã, eu vos agradeço e peço que me deis vossa bênção, vosso amparo e vossa proteção Divina em todos os dias da minha jornada e que a Senhora me ensine a lidar com as tempestades do meu próprio íntimo.

Que assim seja!

Salve nossa Mãe Iansã!

Salve a nossa Umbanda Sagrada!

34 – Oração à Sagrada Mãe Iemanjá

Divina Mãe Iemanjá, grande conhecedora de incontáveis Mistérios Divinos, entre eles os Mistérios das Águas do Mar Sagrado, que sois a Mãe da Geração em todos os sentidos da vida; de joelhos diante da Senhora, pedimos vosso auxílio.

Sagrada e amada Mãe Iemanjá, trazei a paz para nossos corações, tão amargurados e desprovidos de amor. Ajudai-nos a sermos mais bondosos e caridosos com nossos semelhantes. Mostrai-nos que nossas dores não são maiores que a dos nossos irmãos, para que, assim, possamos ajudar quem mais necessita. Libertai-nos do egoísmo que nos consome.

Ensinai-nos, amada Mãe, a enxergar nosso íntimo e conhecer a nós mesmos. Ajudai-nos a evoluir espiritualmente, para que assim possamos gerar bons sentimentos, bons pensamentos e boas atitudes. Diluí todas as vibrações, energias negativas e enfermiças que nos envolvem, as quais nós mesmos atraímos todas as vezes que baixamos nossas vibrações e deixamos o ódio e o rancor fazerem morada em nossos corações.

Sagrada Mãe Iemanjá, nós vos pedimos que, perante vossos Mistérios Divinos e na grandeza, beleza e poder do vosso ponto de força, a Senhora recolha, cure e encaminhe todos os espíritos que, por alguma razão, estejam ligados a nós negativamente, à nossa casa, nossa família, aos nossos campos e caminhos, os que se perderam por nossa causa e todos que neste momento precisam do vosso socorro.

Amada Mãe Iemanjá, fortalecei nossa fé diante dos obstáculos do dia a dia, libertai-nos das mágoas que nos aprisionam, ensinai-nos a perdoar e pedir perdão, e não permitais que nada, nem ninguém atrase nossa evolução.

Sagrada mãe Iemanjá, que nos poderes das águas do Mar Sagrado sejam banhados os olhos e o íntimo dos nossos inimigos, encarnados ou não, e que seja purificado todo o negativismo que os envolve, para que, assim, eles evoluam e possam enxergar a vida de forma equilibrada, sem ódio e rancor. Que nos Mistérios, forças e poderes das Ondas Sagradas sejam purificados e diluídos todas as ações e magias negativas, magias negras, encantamentos, bruxarias, demandas e pragas rogadas contra nós ou feitas por nós, desta e de outras vidas.

Que a Senhora nos traga saúde, equilíbrio, prosperidade, sabedoria, fé, criatividade e amor. Ensinai-nos a não atentar contra nossa própria vida nem contra a vida dos nossos irmãos. Que a Senhora enxugue nossas lágrimas de solidão, dor e aflição, e que ilumine a nossa visão, para que possamos enxergar a presença e a bondade do nosso Criador.

Sagrada, divina e amada Mãe Iemanjá, nós vos agradecemos por vossa imensa bondade para conosco, e por todas as vezes que nos colocais em vosso colo e nos acalentais quando o desespero e a agonia se fazem presentes em nossas vidas.

Que a Senhora nos dê vossa bênção, vosso amparo e vossa proteção divina em todos os dias das nossas jornadas. Abençoai nossa casa, nossa família, os que fazem parte das nossas vidas e todos que são merecedores da vossa bênção divina; que a harmonia esteja presente em nossos lares. Perdoai-nos, amada Mãe, por todas as vezes que nos esquecemos de agradecer ao Criador pela vida que Ele amorosamente nos concede todos os dias.

Que assim seja. Amém!

Salve a nossa Mãe Iemanjá!

Salve a nossa Umbanda Sagrada!

35 – Oração à Sagrada Mãe Obá

Sagrada Mãe Obá, conhecedora de incontáveis Mistérios Divinos, a Mãe da Sabedoria, Mãe concentradora do nosso raciocínio, germinadora de todas as sementes que semeamos nessa terra abençoada.

Mãe do conhecimento em todos os campos e sentidos da vida, que, entre vários Mistérios, trazeis convosco as forças e Mistérios da Terra; de joelhos diante da Senhora, clamo por vosso auxílio divino.

Que a Senhora fortaleça a minha fé, diante de tantas incertezas, e ensine-me que sem fé é impossível seguir adiante. Curai meu espírito e minha matéria, que estão expostos a tantos males existentes nesse meio e os que trago através da minha mente. Paralisai em mim todos os excessos emocionais e mentais, e trazei equilíbrio e capacidade de raciocinar de forma positiva. Ajudai-me a me concentrar apenas naquilo que me leva a crescer, evoluir e ser melhor a cada dia.

Sagrada Mãe Obá, peço que cuideis de mim, da minha casa e de minha família; envolvei-me em vossos Sagrados Mistérios e esgotai todo o negativismo existente em mim; trazei-me saúde, coragem, alegria, equilíbrio, prosperidade, fartura e harmonia.

Sagrada Mãe Obá, peço, também, que nas forças e Mistérios da Terra a Senhora recolha, cure e encaminhe todos os espíritos negativos que, por alguma razão, estejam ligados a mim, minha casa e minha família, os doentes, escurecidos, desequilibrados, desordenados, trevosos e os que se perderam por nossa causa.

Que a Senhora cuide dos meus inimigos. Anulai neles todos os sentimentos de ódio, rancor, mágoas e de maldades contra mim. Protegei-me deles e não permitais que eles se aproximem de mim, nem da minha família. Mostrai-lhes que é crescendo e evoluindo que se encontra os caminhos iluminados.

Sagrada Mãe Obá, eu vos agradeço e peço que me ampareis, protejais e, perante vossos Sagrados Mistérios, que fertilizeis minha mente e meu coração. Dai-me sabedoria para plantar as sementes de prosperidade, fartura, fé, caridade, harmonia, bondade, amor e perdão. Olhai por todos nós do planeta Terra e trazei a cura para todas as doenças do nosso corpo e do nosso espírito. Dai-me vossa bênção, vossa proteção e sustentação divina em todos os dias da minha caminhada nessa Terra Sagrada.

Que assim seja. Amém!

Salve a Sagrada Mãe Obá!

Salve a nossa Umbanda Sagrada!

36 – Oração à Sagrada Mãe Oxum

Sagrada, Divina, amada e doce Mãe Oxum, conhecedora de incontáveis Mistérios Divinos e regente do mais belo mistério da criação, o Mistério do Amor. Mãe da agregação, da harmonia e do amor incondicional. Mãe da família e de todas as Mães encarnadas; de joelhos perante a Senhora, pedimos vosso auxílio. Que a Senhora nos ensine a ser caridosos, solidários, humildes, bondosos, a ter amor e sabedoria para compreender a nós mesmos e nossos irmãos. Que na pureza, nas forças e nos Mistérios das vossas águas, nosso espírito e nossa matéria sejam banhados, e que sejam ceifados todos os cordões energéticos que nos ligam aos espíritos e às esferas negativas.

Sagrada Mãe Oxum, que nos poderes dos Mistérios do Amor, a Senhora nos cubra com vosso Manto Sagrado e nos liberte das dores, dos vícios, das mágoas, das angústias, dos rancores, do ódio, das doenças da alma e das algemas que nos prendem na ignorância e nos impedem de evoluir e enxergar o esplendor do amor Divino. Que nossos pensamentos, atos, palavras e sentimentos sejam límpidos e iluminados, para que, assim, possamos trilhar os nossos caminhos levando fé e amor em nossos corações.

Sagrada Mãe Oxum, ajudai-nos a sermos fortes, como são vossas Sagradas Águas, e que, como elas, saibamos contornar os obstáculos e seguir nosso percurso. Que possamos encontrar as chaves que abrem as portas do amor, da fé, da lei e da razão. Que nas forças e nos poderes dos Sagrados Mistérios das Cachoeiras, nosso íntimo seja purificado e possamos transbordar em nosso ser a paz, alegria e vosso Divino Amor.

Sagrada e Amada Mãe Oxum, pedimos também que a Senhora cuide da nossa casa, da nossa família e de todos que são merecedores do vosso auxílio divino. Trazei-nos saúde, fé, alegria, amor, equilíbrio, sabedoria, discernimento, prosperidade e harmonia. Que nossos corações não endureçam diante da falta de compaixão e de amor que existe nesse meio humano. Que saibamos olhar com ternura para tudo que nosso Criador bondosamente coloca nas nossas vidas.

Sagrada Mãe Oxum, nós vos pedimos que na beleza e grandeza dos vossos Mistérios, a Senhora purifique o íntimo dos nossos inimigos e leve o amor, a fé e o equilíbrio para a vida deles, para que, assim, eles deixem de nos perseguir e passem a enxergar o quanto nosso Criador é bondoso conosco.

Sagrada e Divina Mãe Oxum, nós vos agradecemos e pedimos vossa bênção, vosso amparo e vossa proteção divina em todos os dias da nossa jornada. Que a Senhora perdoe nossas fraquezas e nos ensine que sem amor e fé não podemos caminhar rumo ao crescimento e à evolução.

Que assim seja. Amém!

Salve a Sagrada Mãe Oxum!

Salve a nossa Umbanda Sagrada!

37 – Oração à Sagrada Mãe Oyá

Sagrada e Divina Mãe Oyá, grande conhecedora de muitos Mistérios Divinos, entre eles, o Sagrado e Poderoso Mistério do Tempo. Neste momento, de joelhos diante da Senhora, pedimos vosso auxílio. Que perante vossos Sagrados Mistérios sejam purificados, anulados e diluídos todos os males, magias, vibrações e ações negativas que, por ignorância, praticamos e desejamos aos nossos semelhantes. Purificai, diluí e anulai também todos os males, magias, vibrações e ações negativas que eles praticam e desejam a nós.

Sagrada Mãe Oyá, nós vos pedimos que transporteis tudo de negativo que envolve nosso íntimo, nosso corpo carnal e espírito imortal, pois esse negativismo turva nossa visão e aniquila nossa alma. Libertai-nos das ilusões, das amarguras, dos rancores, das mágoas, dos pensamentos e sentimentos sombrios que nos impedem de caminhar na luz e nos causam tantas dores e aflições. Ajudai-nos a superar nossos medos, nossas fraquezas e nossas angústias; ensinai-nos a acalmar nosso impulso diante de calúnias e ofensas. Que tenhamos sabedoria, equilíbrio e bondade para pedir luz aos nossos ofensores.

Sagrada Mãe Oyá, nós vos pedimos que perante os Mistérios do Tempo, sejam dados sete giros, recolhendo, curando e encaminhando, dentro da Lei Divina, todos os espíritos negativos, escurecidos, doentios, desequilibrados, desordenados, obsessores, quiumbas, eguns e trevosos que estejam alojados em nossos campos, matéria, espírito, casa e família. Que também sejam recolhidos, curados e encaminhados todos os que se perderam no tempo e na escuridão por ignorância deles ou por nossa causa, desta vida ou de outras que já vivemos.

Sagrada Mãe Oyá, nós vos pedimos, ainda, que perante os vossos Mistérios Sagrados e Divinos, sejam curadas todas as doenças do nosso corpo carnal e espírito imortal, da nossa família e de todos que sejam merecedores. Ensinai-nos a silenciar nosso íntimo e nossa mente, para que, assim, possamos ouvir os desígnios do Criador. Retornai para nossa vida tudo de positivo que nos tiraram ou que perdemos por ignorância, mas que é nosso por merecimento. Pedimos, também, que purifiqueis o íntimo dos nossos inimigos e diluais o negativismo deles. Amparai-os para que, assim, eles evoluam e deixem de ser maldosos, mas, se não a ouvirem, então, perante a Lei Divina, mostrai-lhes as forças do tempo e suas idas e vindas.

Sagrada e Divina Mãe Oyá, nós vos agradecemos por todas as vezes que, diante das nossas dores e desespero, a Senhora nos mostrou a força e o poder dos Mistérios do Tempo, e diante dos campos abertos, recolheu e diluiu todo o nosso negativismo e nos mostrou novos caminhos. Também pedimos perdão por toda a nossa ignorância diante da Senhora e dos vossos Mistérios Sagrados. Dai-nos vossa bênção, vosso amparo e vossa sustentação divina todos os dias da nossa jornada. Que nossa fé, saúde e coragem sejam fortalecidas.

Que assim seja. Amém!

Salve a Sagrada Mãe Oyá!

Salve a nossa Umbanda Sagrada!

38 – Oração à Sagrada Mãe Nanã Buruquê

Sagrada Mãe Nanã Buruquê, conhecedora de poderosos Mistérios Divinos, que com grandeza e sabedoria realiza poderosos trabalhos em nosso benefício, que não nega auxílio a quem necessita dele; de joelhos perante a Senhora, pedimos que venha em nosso socorro e absorva, decante, regenere, transmute todas as energias e vibrações negativas e enfermiças do nosso corpo, espírito, mental, emocional, da nossa casa, da nossa família e traga paz e harmonia para nossas vidas. Que a Senhora traga a cura para todos os males, todos os vírus que infectam e afetam nossa matéria e o nosso espírito, que muitas vezes são atraídos pelos nossos próprios pensamentos e sentimentos negativos.

Sagrada Mãe Nanã Buruquê, trazei a cura para todas as doenças que envolvem nossos irmãos encarnados que ainda vivem nessa terra sagrada. Curai os que são doentes de alma, doentes de espírito e os que se encontram acamados ou hospitalizados neste momento. Trazei alento para a vida deles. Pedimos, também, que sejam recolhidos, curados e encaminhados para seus lugares de merecimento todos os espíritos negativos, doentes, desequilibrados, atormentados, apáticos, obsessores, espíritos familiares necessitados de socorro, os que se perderam por nossa causa, os escurecidos e trevosos que, por alguma razão, estão ligados a nós, à nossa casa e nossa família, desta vida e de outras que já vivemos.

Sagrada Mãe Nanã Buruquê, pedimos que a Senhora cure, umedeça e regenere os nossos corações e nossa mente, para que brotem neles sentimentos de bondade, fé, caridade e amor. Envolvei-nos nos Mistérios das vossas Águas Sagradas, banhai nosso corpo e espírito e purificai nossa alma. Renovai nossa fé, esperança, alegria e energia; renovai tudo o que esteja paralisado em nossas vidas e trazei-nos saúde, coragem, equilíbrio e sabedoria para ultrapassarmos todos os obstáculos dos nossos caminhos.

Sagrada Mãe Nanã Buruquê, nós vos pedimos que a Senhora, com vossa imensa sabedoria, nos direcione nos caminhos da evolução e nos ajude a seguir, para que, assim, possamos cumprir nossa missão diante do Criador. Também pedimos que a Senhora nos ensine o valor da caridade, do amor e do perdão. Que perante vossos Sagrados Mistérios sejam absorvidos, decantados e transmutados todo o negativismo que envolve nossos inimigos, encarnados ou não. Curai-os, direcionai-os nos caminhos da luz e rompai os cordões negativos que nos ligam a eles.

Sagrada e Divina Mãe Nanã Buruquê, nós vos agradecemos e pedimos vossa bênção, vosso amparo e vossa proteção divina em todos os dias da nossa caminhada; que seja trazida a cura para todos deste planeta Terra; e que sejamos merecedores. Que nossa tristeza seja transformada em alegria; a fraqueza, transformada em força e sabedoria. Que a Senhora não permita que a ignorância e a falta de fé nos arrastem para lugares secos, frios e sem vida.

Que assim seja. Amém!

Salve a Sagrada Mãe Nanã Buruquê!

Salve a nossa Umbanda Sagrada!

39 – Prece aos Sete Pais Orixás

Sagrados Pais Orixás, conhecedores de grandiosos e poderosos Mistérios Divinos, que socorrem e auxiliam todos que, com fé, pedem vosso auxílio divino; que nos acalentam e nos cobrem com vossos Sagrados Mantos todas as vezes que o desespero toma conta de nós. De joelhos diante dos Senhores, com muito amor, fé e respeito, pedimos que nos socorram e auxiliem nesse meio em que vivemos, pois muitas vezes nos deparamos com árduos obstáculos e com a crueldade humana.

Ao nosso Mestre Pai Oxalá, pedimos que tenhais piedade de nós e nos cubrais com vosso Sagrado Manto; mostrai-nos a direção a seguir todas as vezes que nos sentirmos perdidos nos caminhos da vida. Não deixeis que nos falte fé, saúde, coragem e amor por nós mesmos e pelos nossos irmãos. Ensinai-nos o valor da caridade, do amor, da bondade, da humildade e do perdão.

Ao Sagrado Pai Oxóssi, pedimos sabedoria, prosperidade e o alimento da fé. Expandi nosso mental e nos ensinai a conhecer nosso próprio íntimo. Libertai-nos do ego, da arrogância e da ignorância. Ensinai-nos a buscar o conhecimento em todos os campos e sentidos de nossas vidas, para que, assim, possamos crescer e evoluir, espiritual e materialmente. Que vossa Flecha Certeira nos conduza aos caminhos do nosso crescimento e da nossa evolução.

Ao nosso poderoso Pai Ogum, pedimos que quebreis todas as demandas enviadas a nós ou atraídas por nós, desta e de outras vidas. Abri nossos caminhos, campos e passagens. Amparai-nos com vossa Lei, defendei-nos com vossa espada e protegei-nos com vosso escudo. Pedimos, também, que o Senhor nos liberte dos nossos próprios dragões que nos assombram e nos arrastam por caminhos escuros e contrários às Leis Divinas.

Ao nosso justiceiro Pai Xangô, pedimos equilíbrio em todos os sentidos das nossas vidas. Que vossa Justiça Divina se faça presente em cada instante da nossa existência. Que nos fortaleçais e nos amapareis diante dos obstáculos da nossa vida. Libertai-nos dos medos que nos impedem de caminharmos rumo aos nossos objetivos. Que nos Mistérios do Fogo Divino, purifiqueis tudo de negativo que nos envolve, que envolvem nossos campos, nossa casa e nossa família.

Ao nosso amado Pai Oxumaré, pedimos que ordeneis tudo o que esteja desordenado em nossas vidas e transformeis tudo o que se fizer necessário neste momento. Libertai-nos de todos os amores conturbados e obsessivos que nos enfurecem e nos aniquilam diante da vida. Que o Senhor nos envolva nos Mistérios do Arco-Íris Sagrado e fortaleça nosso emocional e mental, e nos traga amor, alegria e paz aos nossos corações.

Ao Sagrado Pai Obaluaiê, pedimos que tragais a cura para nossas doenças do espírito e da matéria. Libertai-nos das dores, mágoas e aflições, e curai, também, todos os que são doentes de alma e de espírito. Pedimos, ainda, Sagrado Pai Obaluaiê, que o Senhor cure todo ódio e rancor dos nossos inimigos e renove o íntimo deles, para que, assim, possam caminhar em paz. Que o Senhor leve a cura e o conforto a todos os irmãos encarnados que se encontram doentes, infectados, acamados e hospitalizados; amparai-os em suas necessidades segundo a vontade do nosso Criador.

Ao nosso Divino, Sagrado e Poderoso Pai Omolu, pedimos que recolhais todos os espíritos doentes, desequilibrados, desordenados, apáticos, atormentados, escurecidos e trevosos que, por alguma razão, estejam ligados a nós, nossa casa e nossa família. Recolhei, também, os que se perderam no tempo por nossa causa. Curai-os, regenerai-os, reequilibrai-os e encaminhai cada um deles para seus lugares de origem, segundo seus merecimentos.

Sagrado Pai Omolu, que vossas irradiações divinas envolvam cada um de nós, diluam e transmutem tudo o que há de negativo em nós, em nossa casa, em nossa família, em nossos campos e a nossa volta. Que o Senhor ampare todos os irmãos que neste momento estão deixando seus corpos na carne; ajudai-os em suas passagens segundo seus merecimentos.

Amados Pais Orixás, nós vos agradecemos e pedimos vossa bênção, vosso amparo e vossa proteção divina em todos os dias das nossas vidas. Que os Senhores estejam conosco e que estejamos convosco.

Que assim seja. Amém!

Salve o Sagrado Pai Oxalá!

Salve o Sagrado Pai Oxóssi!

Salve o Sagrado Pai Ogum!

Salve o Sagrado Pai Xangô!

Salve o Sagrado Pai Oxumaré!

Salve o Sagrado Pai Obaluaiê!

Salve o Sagrado Pai Omolu!

Salve a nossa Umbanda Sagrada!

40 – Prece ao Sagrado Pai Obaluaiê

Sagrado Pai Obaluaiê, o Senhor que é atuante no Campo-Santo, é grande conhecedor de Poderosos Mistérios Divinos, entre eles os Sagrados Mistérios da Transmutação, da Cura e da Evolução; de joelhos diante do Senhor, pedimos vosso amparo e auxílio divino em todos os nossos momentos de dores e aflições.

Que o Senhor cure todos os males do nosso espírito e da nossa matéria, e transmute do nosso íntimo e da nossa mente todos os sentimentos e pensamentos negativos que se fazem presentes todas as vezes que baixamos nossas vibrações e nos perdemos na escuridão causada por nós mesmos.

Pedimos, também, Divino Pai Obaluaiê, que o Senhor recolha todos os espíritos doentes, atormentados, desequilibrados, desordenados, obsessores e trevosos que foram enviados a nós ou atraídos por nós, nesta e em outras vidas, e que, por alguma razão, estejam alojados em nossa casa, em nossa família, em nossos caminhos, campos e corpos internos. Curai-os e encaminhai-os para seus lugares de merecimento, livrando-os de seus tormentos.

Sagrado Pai Obaluaiê, que do vosso Divino Trono cheguem até nós vossas irradiações e vibrações Sagradas e Divinas. Que o Senhor nos mostre os caminhos para o crescimento e para a evolução em todos os campos e sentidos de nossas vidas. Que perante vossos Sagrados Mistérios o Senhor seja para nós a cura de todas as nossas doenças espirituais e materiais. Curai, também, nossos vícios, mágoas, rancores, tristezas, inveja, nosso egoísmo, arrogância e ignorância. Libertai-nos do medo que nos aniquila e nos impede de viver.

Pedimos, ainda, amado Pai Obaluaiê, que o Senhor abra nossos campos, caminhos, portas e passagens. Decantai e transmutai tudo o que existe de negativo neles, e que possamos caminhar sob vossa sustentação e proteção divina. Também pedimos que seja transmutado e curado o íntimo dos nossos inimigos, que o Senhor não permita que eles nos atinjam e mostre-lhes os caminhos da evolução.

Sagrado Pai Obaluaiê, nós vos agradecemos e pedimos que nas forças dos vossos Mistérios Divinos o Senhor leve a cura para todos os nossos irmãos encarnados que estejam doentes, acamados e hospitalizados neste momento. Levai fé e conforto a eles e aos seus familiares.

Sagrado Pai Obaluaiê, pedimos vossa bênção, vosso amparo e vossa proteção divina em todos os dias da nossa caminhada. Que não sejamos infectados pelo vírus do mal, e que o Senhor traga a cura para toda a humanidade segundo nosso merecimento. Que o Senhor abençoe a todos que, com fé, clamam por vosso auxílio divino. Que sejam curadas as almas e purificadas as visões daqueles que não veem beleza na vida e não nutrem amor nos seus corações.

Que assim seja. Amém!

Salve o Sagrado Pai Obaluaiê!

Salve todo o Povo do Campo-Santo!

Salve Nossa Umbanda Sagrada!

41 – Prece ao Sagrado Pai Ogum

Sagrado e Divino Pai Ogum, conhecedor de incontáveis Mistérios Divinos; Divindade e Orixá ordenador da criação em todos os campos e sentidos da vida. Que entre muitos outros Mistérios dos quais é conhecedor, é Divindade da Lei, dos Caminhos, da Ordenação e da Direção; de joelhos perante o Senhor, com muita fé, amor e respeito venho pedir vosso auxílio.

Sagrado Pai Ogum, que nos Mistérios da Lei meus caminhos sejam abertos e purificados de tudo que houver de negativo. Que minha casa seja purificada, abençoada e protegida. Que minha família seja equilibrada, reordenada e libertada de todos os males existentes. Que vossa Sagrada Espada desça sobre mim cortando e eliminando pela raiz todos os males que atingem meu corpo, espírito, emocional, mental, meus campos, caminhos, portas e passagens.

Sagrado Pai Ogum, peço, também, que o Senhor purifique e reordene meus sentimentos, pensamentos e atitudes. Que o Senhor recolha, cure, reordene e encaminhe para os seus lugares de merecimento todos os espíritos negativos, desequilibrados, desordenados, atormentados, escurecidos, obsessores, eguns, doentios, apáticos e trevosos que, por alguma razão, estejam alojados no meu espírito, na minha matéria, na minha casa, na minha família, nos meus campos mediúnicos, vibratórios e energéticos; recolhei, ainda, os que se perderam no tempo e na escuridão, por minha causa ou por sua própria ignorância.

Sagrado Pai Ogum, peço que o Senhor purifique, ilumine e ampare meu espírito para eu tenha o desejo de evoluir. Purificai, equilibrai e ordenai o meu corpo carnal para que eu possa enxergar nele um Templo Sagrado do meu Divino Criador; iluminai e ordenai a minha voz para que profira apenas palavras construtivas de amor, bondade, conforto e harmonia para os meus irmãos.

Sagrado Pai Ogum, que perante vossos Mistérios Divinos o Senhor me defenda com vossa espada, proteja-me com vosso escudo e me ampare com vossa Sagrada Lei. Peço, também, que, perante os Sagrados Mistérios do Ar, seja purificado e reequilibrado o íntimo dos meus inimigos. Libertai-os das mágoas, do ódio, dos ciúmes, da inveja, da raiva e dos rancores que sentem por mim. Não permitais que eles se aproximem de mim com maldades nos seus atos, pensamentos e palavras, mas se eles insistirem em me atingir, que o Senhor os faça evoluir sob as penas da vossa sagrada e severa Lei.

Sagrado Pai Ogum, se, por orgulho, vaidade ou ignorância, eu me perder diante dos caminhos sombrios, que o Senhor esteja presente para me defender, trazer-me a luz e me conduzir ao crescimento, à evolução e aos caminhos luminosos perante vossa Sagrada Lei.

Sagrado Pai Ogum, é com muito amor, fé, respeito e gratidão que peço vossa bênção, vosso amparo, vossa proteção e sustentação divina em todos os dias da minha caminhada. Que vossa Sagrada Espada seja fincada no centro da terra, diluindo e consumindo todos os males e trazendo a cura para todos os seres viventes nela, segundo o merecimento de cada um. Que o Senhor perdoe minhas fraquezas, faltas e falhas aqui cometidas. Agradeço-vos por todas as bênçãos que concedeis a mim e aos meus todos os dias.

Que assim seja. Amém!

Salve o sagrado Pai Ogum!

Salve a nossa Umbanda Sagrada!

42 – Prece ao Sagrado Pai Omolu

Sagrado Pai Omolu, representante de um dos mais belos Mistérios Divinos, o das Passagens para o outro plano da vida. O Senhor, que é atuante no Campo-Santo e, entre outros grandiosos trabalhos que realiza através dos vossos Mistérios e sabedoria em nosso benefício, também age na cura dos males espirituais e materiais dos encarnados; de joelhos perante o Senhor, peço vosso auxílio divino.

Que com vosso Sagrado Alfange seja ceifado tudo de negativo que se faz necessário neste momento em minha vida e que sejam paralisados em mim todos os sentimentos de ódio, mágoa, inveja e rancor. Que o Senhor paralise, também, meus vícios, ilusões, desejos de vingança, medos e toda discórdia que envolvem minha casa e minha família. Que o Senhor traga a cura para todos os males que infectam meu sangue, meu corpo, meu espírito, meu mental e meu emocional. Que o Senhor transforme tudo que em minha vida precisa ser transformado.

Sagrado pai Omolu, peço, ainda, que nos poderes dos vossos Sagrados Mistérios e nas forças das terras do Campo-Santo, sejam cortadas, anuladas e paralisadas todas as ações e magias negativas em forma de pensamentos, elementos, atos e palavras que agem contra mim, meus campos e caminhos, minha casa e minha família.

Que sejam recolhidos, curados, transformados e encaminhados todos os espíritos negativos ligados a mim, os que se perderam por minha causa e os espíritos familiares necessitados de socorro. Peço, também, que o Senhor adormeça em meu íntimo todos os sentimentos que causam mal à minha alma. Que o Senhor estanque minhas lágrimas e me conforte todas as vezes que a dor e a tristeza tomarem conta de mim.

Sagrado Pai Omolu, clamo que sejam anulados e reduzidos a pó todos os males que os meus inimigos fazem e desejam a mim e minha família. Curai, transformai e equilibrai o espírito e a matéria deles. Transformai, também, suas más ações, para que, assim, não façam ou desejem mal a mim, nem a nenhum de seus irmãos. Que de corpo e espírito curados, transformados e equilibrados, eles possam caminhar em paz e cumprir suas missões.

Sagrado Pai Omolu, agradeço-vos respeitosamente e peço que o Senhor esteja comigo sempre que necessário, se eu for merecedor(a). Que vosso Sagrado Alfange se faça presente cortando e paralisando tudo de negativo que me desvia dos caminhos do meu crescimento e da minha evolução. Que o Senhor me traga saúde, prosperidade, fé, coragem, equilíbrio e sabedoria para que eu possa seguir adiante nesse meio, até o dia da minha passagem.

Que nesse dia o Senhor esteja comigo, amparando-me e me guiando para novos caminhos do outro lado da vida. Peço-vos, também, que me protejais de todas as doenças e vírus existentes nesse meio. Que o Senhor traga a cura para toda a humanidade, segundo o nosso merecimento.

Que assim seja. Amém!

Salve o Sagrado Pai Omolu, Senhor do Campo-Santo, das Passagens e da Transformação!

Salve a nossa Umbanda Sagrada!

43 – Oração ao Sagrado Pai Oxalá

Divino, Supremo e Misericordioso Pai Oxalá, conhecedor e portador de incontáveis Mistérios Divinos, entre eles o poderoso Mistério da Fé; que é Mestre dos Mestres e com sabedoria nos ensinou o valor do amor e do perdão; que, entre vários ensinamentos, pregou a paz, o amor e a caridade entre os homens; de joelhos perante o Senhor, viemos pedir vosso auxílio divino para ultrapassar as difíceis muralhas que se fazem presentes nos nossos caminhos.

Nessas horas de angústia, medo e indecisão, nós vos pedimos que nos ajudeis a não perder a fé, a virtude e o amor pela vida, mesmo sabendo que as dificuldades, os obstáculos e coisas mundanas se fazem presentes o tempo todo no nosso caminho, e que diante de tanto sofrimento, dissabores, soberbia, egoísmo, injustiça e ignorância, nós confiamos no Senhor.

Que o Senhor enxugue nossas lágrimas e nos fortaleça quando a dor, tristeza e solidão insistirem em chegar até nós. Que o Senhor segure nossa mão e nos levante, se tropeçarmos e cairmos. Trazei serenidade para nossos corações e nossa mente se o desespero tomar conta de nós. Que o Senhor nos mostre o caminho quando não soubermos a direção e não permita que nada, nem ninguém nos tire a paz.

Sagrado Pai Oxalá, que perante vossos Sagrados Mistérios, os nossos corpos, espírito, os sete campos, os sete caminhos, as nossas sete portas, as nossas sete passagens, a nossa casa, a nossa família sejam purificados de todas as energias e vibrações negativas, doentias, enfermiças, enviadas a nós ou atraídas por nós.

Sagrado Pai Oxalá, nós vos pedimos, também, que o Senhor cuide dos nossos inimigos, cure o íntimo deles e os liberte dos seus tormentos. Mostre a eles os caminhos do amor e da bondade. Que o Senhor nos oculte em vosso Sagrado Manto se eles quiserem nos atingir com maldade em seus corações. Pedimo-vos, também, que por meio dos Mistérios da Fé sejam recolhidos, curados e encaminhados todos os espíritos negativos ligados a nós, nossa casa e nossa família, os que se perderam por nossa causa e todos que neste momento precisam do vosso socorro.

Sagrado Pai Oxalá, nós vos agradecemos por todas as bênçãos que o Senhor amorosamente concede a nós e aos nossos todos os dias, as que são visíveis aos nossos olhos humanos e as ocultas a eles. Que o Senhor abençoe, proteja e dê sustentação a nós, nossa casa, nossa família e a todos que clamam pelo vosso Sagrado Nome.

Que sejam fortalecidos nossa fé, saúde, coragem e amor pela vida. Que o Senhor traga para nossa vida prosperidade, sabedoria, equilíbrio e discernimento, e que tenhamos bondade, compaixão e amor no coração para conosco e nossos irmãos. Que o Senhor auxilie na cura de todos as doenças existentes nesse meio terreno.

Que assim seja. Amém!

Salve o Sagrado Pai Oxalá!

Salve a nossa Umbanda Sagrada!

44 – Prece ao Sagrado Pai Oxóssi

Sagrado e Divino Pai Oxóssi, Rei das matas, das aldeias e das florestas, Divindade da Fartura, da Prosperidade e da Abundância, conhecedor de incontáveis Mistérios Divinos e traz convosco as irradiações luminosas dos verdes das matas. Pai do conhecimento em todos os sentidos da vida e que, com sabedoria, socorre a todos que com fé buscam vosso amparo. De joelhos perante o Senhor, pedimos vosso auxílio divino. Que o Senhor esteja presente em todos os momentos da nossa vida e nos ensine a caminhar pelos verdes caminhos da bondade e do amor. Pedimos, também, que expanda nosso mental para que possamos buscar o conhecimento e, assim, evoluir e cumprir nossa missão perante o Criador.

Sagrado Pai Oxóssi, pedimos que o Senhor não permita que nada nem ninguém atrase nossa caminhada. Que possamos alegrar os olhos do nosso Criador com nossa postura perante tudo e todos à nossa volta. Que nos Mistérios dos Vegetais sejam purificadas e anuladas todas as energias e vibrações negativas enviadas a nós ou atraídas por nós. Que sejam recolhidos, curados e encaminhados todos os espíritos negativos ligados a nós, nossa casa e nossa família. Que seja curado o íntimo dos nossos inimigos, para que, assim, eles evoluam e nos deixem caminhar em paz.

Que o Senhor nos fortaleça diante das difíceis provações que a vida nos impõe e que nos direcione pelos caminhos do bem. Nós vos pedimos, também, que o Senhor abençoe e proteja a nós, nossa casa, nossa família e todos que precisam do vosso auxílio divino.

Trazei-nos saúde, coragem, fé, sabedoria, alegria, abundância e harmonia em todos os campos e sentidos da nossa vida. Trazei-nos, ainda, o alimento da fé e do saber, para que possamos buscar os nossos objetivos por trajetos luminosos e caminhar rumo ao nosso crescimento e evolução.

Sagrado Pai Oxóssi, que o Senhor nos liberte de más intenções, maus sentimentos, más palavras e maus pensamentos que, muitas vezes, invadem nosso ser e escurecem nossa visão. Libertai-nos das mágoas que nos impedem de sorrir para a vida. Libertai-nos de tudo que faz mal ao nosso corpo e ao nosso espírito. Equilibrai nosso mental e nosso emocional e trazei fartura à nossa mesa, prosperidade à nossa vida e amor ao nosso coração.

Sagrado Pai Oxóssi, que vossa Sagrada Flecha certeira caia à nossa frente, mostrando-nos o caminho a seguir. Que ela também caia às nossas costas, à nossa direita e esquerda, livrando-nos e nos protegendo de perigos, espíritos e ações negativas. Que o Senhor nos liberte das sombras que aprisionam nossa alma e nos impedem de ver a luz.

Sagrado e divino Pai Oxóssi, clamamos que perante os Sagrados Mistérios das Matas e Florestas, o Senhor leve conforto e cura para todos que neste momento se encontram enfermos, sem esperança nem alegria; fortalecei-os segundo o merecimento de cada um.

Sagrado Pai Oxóssi, nós vos agradecemos e pedimos que vós nos envieis vossas vibrações e irradiações verdes, vivas e divinas, e que elas sejam o bálsamo para renovar e revigorar nossas energias.

Que assim seja. Amém!

Salve o Sagrado Pai Oxóssi!

Salve a nossa Umbanda Sagrada!

45 – Prece ao Sagrado Pai Oxumaré

Divino Pai Oxumaré, conhecedor de grandiosos Mistérios Divinos, entre eles os poderosos Mistérios Absorvedor, Renovador, Ordenador, os Mistérios do Amor e do Arco-Íris Sagrado. Que com destreza representa a transformação, abundância, agilidade, fortuna, prosperidade e beleza em todos os sentidos da vida na criação; de joelhos perante o Senhor, clamo por vosso auxílio divino.

Que o Senhor absorva e dilua todo o negativismo que me envolve e me prende nos labirintos da ignorância e me impede de enxergar a beleza da vida e o amor que o Criador tem por todos os seus filhos. Que meu corpo e espírito sejam banhados nos Mistérios das vossas Águas Sagradas, que seja diluído tudo que houver de negativo neles e que minhas energias sejam renovadas. Não permitais, Amado Pai, que eu me perca em meio a ilusões, vaidade, luxúria, soberbia, paixões e desejos desequilibrados.

Livrai-me da ambição excessiva e do egoísmo que me impedem de ser caridosa(o), amorosa(o) e de enxergar as dores dos meus irmãos. Livrai-me, também, de todos os sentimentos e pensamentos negativos que atormentam minha mente e me aprisionam na escuridão do meu próprio íntimo. Ajudai-me a não perder a fé e a razão diante dos obstáculos que se fazem presentes todos os dias nos meus caminhos.

Sagrado Pai Oxumaré, clamo que sejam recolhidos, absorvidos e diluídos todo ódio, mágoa, energias e vibrações negativas dos meus inimigos por mim, os encarnados ou não. Que o íntimo deles seja renovado e reordenado para que, assim, possam evoluir. Que nos Mistérios do Sagrado Arco-Íris, o Senhor abençoe e ilumine a mim, minha casa, minha família, meu trabalho e todos que são merecedores do vosso auxílio divino. Que o Senhor me traga saúde, renovação, abundância, ordenação, prosperidade, transformação, amor e harmonia para todos os campos da minha vida.

Sagrado Pai Oxumaré, reordenai tudo que em minha vida esteja desordenado. Renovai todos os sentimentos que precisam ser renovados, e que eu possa caminhar sob a Luz do vosso amor divino. Peço, também, que nas forças e nos poderes dos vossos Mistérios Sagrados, sejam recolhidos, curados, reordenados e encaminhados todos os espíritos negativos ligados a mim, minha casa, minha família, aos meus campos e caminhos, e aos que se perderam na escuridão por minha causa e precisam de socorro.

Sagrado Pai Oxumaré, eu vos agradeço e peço que me ampareis, abençoeis, cureis e me protejais todos os dias da minha caminhada. Que as cores do vosso Sagrado Arco-Íris cubram meu corpo carnal e meu espírito imortal, que embelezem minha visão, meus sentimentos, meus atos, minhas palavras e meus pensamentos. Que o amor seja o sentimento predominante no meu coração e que o Senhor me proteja de todos os rastejantes humanos ou não que se aproximarem de mim para me ferir.

Que assim seja. Amém!

Salve o Sagrado Pai Oxumaré!

Salve a nossa Umbanda Sagrada!

46 – Oração ao Sagrado Pai Xangô

Sagrado e Divino Pai Xangô, justiceiro do nosso Divino Criador, conhecedor de incontáveis Mistérios Divinos, atuante da justiça, do equilíbrio e da razão; de joelhos perante o Senhor, pedimos vosso auxílio divino. Mas, primeiramente, queremos vos pedir perdão pela nossa ignorância por faltas e falhas perante vossa Justiça Divina. Perdoai-nos, também, por todas as vezes que permitimos que a escuridão tomasse conta do nosso ser e enfraquecesse nossa fé e confiança na Justiça Divina.

Sagrado Pai Xangô, pedimos que perante o Sagrado Mistério do Fogo e com vossas irradiações incandescentes e abrasadoras, o Senhor traga a cura para todos os males que atingem nosso corpo carnal, nosso espírito imortal e nosso emocional. Que sejam purificadas todas as energias e vibrações negativas da nossa casa, da nossa família, dos nossos campos mediúnicos, vibratórios e energéticos e dos nossos caminhos.

Trazei-nos saúde, fé, coragem, prosperidade, abundância, amor, harmonia e equilíbrio para todos os campos da nossa vida. Que sejam consumidos e anulados todos os nossos excessos emocionais, para que, assim, possamos buscar os caminhos que nos levem a vestir nosso espírito imortal de luz e pulsar no nosso íntimo apenas sentimentos nobres para que, por meio deles, possamos crescer interiormente. Que nossa emoção, visão, razão, atos e palavras estejam sempre em harmonia com vossa Justiça Divina e com a Criação.

Divino Pai Xangô, que vosso Sagrado Machado atue na nossa vida cortando, anulando e desfazendo todas as magias negativas, magias negras, vodus, bruxarias, feitiços e encantamentos negativos em forma de elementos, sentimentos, atos e palavras, tanto enviados a nós quanto atraídos por nós. Que o Senhor nos liberte do ódio, da cobiça, da inveja, da vaidade, do ego, dos vícios, do orgulho e dos desejos de vingança.

Sagrado Pai Xangô, pedimos, também, que, perante os Sagrados Mistérios da Justiça, seja purificado o íntimo dos nossos inimigos. Libertai-os de seus tormentos, de seu ódio, de suas mágoas e de seus rancores. Que vossa Justiça Divina esteja presente na vida deles e na nossa, seja para nos punir, seja para nos amparar, dependendo da nossa conduta. Que saibamos amar e respeitar a beleza da vida e da Criação e, assim, buscar nossa evolução.

Sagrado Pai Xangô, nós vos agradecemos por todas as vezes que, perante vossos Sagrados Mistérios e juntamente com vossa falange, o Senhor nos concedeu vosso auxílio para que pudéssemos vencer grandes batalhas. Dai vossa bênção, vosso amparo e vossa proteção divina a nós, nossa casa e nossa família em todos os dias da nossa jornada. Que o Senhor nos traga a razão todas as vezes que nos perdermos em meio ao nosso próprio ego.

Pedimos e clamamos que vosso Sagrado Fogo Divino circule o meio humano neste momento, e que sejam purificados e consumidos todos os males, vírus, pragas, maldades, discórdias e injustiças existentes aqui, segundo o nosso merecimento.

Que assim seja.- Amém!

Salve o Sagrado Pai Xangô!

Salve a nossa Umbanda Sagrada!

IV – SAGRADOS CABOCLOS E CABOCLAS

47 – Prece à Sagrada Cabocla Jurema

Sagrada Cabocla Jurema, conhecedora de inúmeros Mistérios Divinos, atuante nas matas, nas aldeias, nos campos e florestas, que não negais socorro a ninguém que, com fé, clame pelo vosso sagrado nome e peça vosso auxílio. Neste momento, clamamos pelo vosso nome, Sagrada Cabocla Jurema, e pedimos vosso auxílio divino.

Que perante os Sagrados Mistérios das Matas, a Senhora traga a cura para todas as doenças do nosso corpo e espírito, fortaleça nossa fé e saúde, traga-nos o equilíbrio, a sabedoria, a harmonia para nossa família e nossos lares; alegria para nosso dia a dia, fartura para nossa mesa e grandeza para os nossos atos. Clareai nossa visão para que possamos enxergar a bondade divina e as dores dos nossos irmãos, e que tenhamos a humildade de sermos bondosos e caridosos com eles.

Sagrada Cabocla Jurema, não permitais que o ódio, a mágoa e o rancor tomem conta do nosso mental e emocional. Que nossas dúvidas não anulem nossa fé e que nossa vibração não caia diante das ofensas e da injustiça humana; que sejamos fortes diante dos obstáculos, da solidão e dos vícios. Dai-nos a sabedoria para entender nosso íntimo, nossos sentimentos e pensamentos, para que, assim, possamos evoluir. Envolvei-nos em vossos Sagrados Mistérios e nos acolhai em vossa luz divina. Expandi nosso mental e dai-nos discernimento para compreender que tudo nesse meio tem o tempo do nosso Criador e que as dificuldades são para nosso aprendizado e nossa evolução nessa caminhada.

Sagrada Cabocla Jurema, envolvei-nos em vossas irradiações e vibrações vivas e divinas; purificai tudo o que houver de negativo em nosso íntimo, em nossa casa, nossa família, nosso espírito, nossa matéria, nossos campos e caminhos, e que a Senhora nos ensine a lidarmos uns com os outros sem arrogância, soberba e egoísmo.

Sagrada Cabocla Jurema, pedimos que, diante dos Mistérios das Matas, Campos e Florestas, sejam quebrados, anulados e purificados todos os pensamentos, atos e sentimentos negativos que os nossos inimigos nutrem por nós, e que a vossa Sagrada Flecha esteja à nossa frente para nos proteger diante das maldades deles.

Sagrada Cabocla Jurema, nós vos agradecemos e pedimos vossa bênção e vossa proteção divina. Protegei-nos, guiai-nos e guardai-nos em todos os dias das nossas jornadas; que nossa alma seja purificada de tudo que nos escurece e que, por meio dos Mistérios das Ervas Sagradas, as quais a Senhora conhece bem e trabalha com elas em nosso benefício, seja trazida a cura para todos os males da humanidade, segundo nosso merecimento.

Que assim seja. Amém!

Salve a Sagrada Cabocla Jurema!

Salve a nossa Umbanda Sagrada!

48 – Oração a Sagrada Cabocla Sete Estradas

Sagrada Cabocla Sete Estradas, conhecedora de incontáveis Mistérios Divinos, vós que fazeis parte da Sagrada Corrente da Cura do Povo do Oriente, que realizais poderosos trabalhos nas forças do Grandioso Espírito de Luz Dr. Bezerra de Menezes e também conheceis as magias e Mistérios do Sagrado Povo Cigano. A Senhora, que traz a cura para os males dos encarnados e socorre no astral os espíritos doentes, carentes de socorro, neste momento, de joelhos, perante a Senhora venho vos pedir auxílio.

Curai meu corpo carnal de todas as enfermidades e meu espírito imortal de todos os tormentos. Ensinai-me a ser forte e ter coragem. Não permitais que eu caia nas armadilhas do ego e da prepotência. Ensinai-me a ter compaixão, perdoar e pedir perdão. Ensinai-me a buscar conhecimento para que ninguém me humilhe, nem desfaça de mim, e que eu seja luz na minha vida e na vida de todos que cruzarem meu caminho. Que eu não fraqueje diante das adversidades do meu dia a dia, que eu não seja amarrada(o) nas correntes das maldades alheias.

Sagrada Cabocla Sete Estradas, peço-vos, também, que me liberteis do marasmo da solidão, dos conflitos interiores, das dores que apertam o peito e das lágrimas que molham meu rosto. Ajudai-me a trilhar pelos caminhos do bem; ensinai-me a conduzir minha vida sem me fazer de vítima dos obstáculos. Curai meu emocional; trazei-me equilíbrio, fortalecei minha fé e o amor no meu coração, para que eu possa seguir minha caminhada e cumprir minha missão.

Sagrada Cabocla Sete Estradas, peço-vos que purifiqueis minha casa e meus familiares de todas as energias e vibrações negativas, e que a Senhora recolha, socorra, cure, reordene e encaminhe para seus lugares de merecimento todos os espíritos doentes, desequilibrados, apáticos, zombeteiros, obsessores, tristonhos, trevosos e que estejam ligados negativamente a mim, minha casa e minha família. Curai o íntimo dos meus inimigos e ensinai-lhes os caminhos da evolução.

Sagrada Cabocla Sete Estradas, eu vos agradeço e peço vossa bênção, vosso amparo e vossa proteção divina em todos os dias da minha caminhada. Peço que a Senhora me proteja das doenças existentes nesse meio e traga a cura para toda a humanidade, segundo o merecimento de cada um de nós. Libertai todos os que se encontram aprisionados na própria ignorância, se forem merecedores do vosso auxílio.

Que assim seja. Amém!

Salve a Sagrada Cabocla Sete Estradas!

Salve a Corrente da Cura do Oriente!

Salve Dr. Bezerra de Menezes!

Salve a nossa Umbanda Sagrada!

49 – Prece aos Sagrados Caboclos Boiadeiros

Sagrados Caboclos Boiadeiros, conhecedores de poderosos Mistérios Divinos em meio aos grandes sertões, que realizam grandiosos trabalhos em benefício dos necessitados; de joelhos perante os Senhores, peço vosso auxílio divino. Peço que atuem na minha vida em todos os campos e sentidos, livrando-me de tudo que há de negativo nesse meio em que vivo, e fortaleçam minha fé e a coragem para que eu possa seguir adiante.

Que nas forças do tempo e no forte giro dos vossos laços eu seja protegida(o) e direcionada(o) pelos bons caminhos. Que os Senhores cuidem, purifiquem e equilibrem meus campos vibratórios, energéticos e mediúnicos, e façam de mim um bom instrumento do meu Criador aonde quer que eu vá.

Peço, também, que sejam recolhidos, curados e encaminhados todos os espíritos negativos ligados a mim, minha casa e minha família, os sem direção, os que se perderam no tempo por ignorância, os que se perderam por minha causa e, também, todos os espíritos trevosos que, por alguma razão, estejam à minha volta.

Sagrados Caboclos Boiadeiros, clamo que, nos verdes das Sagradas Ervas dos vossos imensos campos, sejam curados todos os males do meu espírito, da minha matéria, do meu emocional, do meu mental, bem como os males visíveis e invisíveis existentes nesse meio, segundo nosso merecimento.

Também peço que me deem proteção divina para que eu possa caminhar de cabeça erguida, com fé, equilíbrio, sabedoria, firmeza e humildade, rumo à minha evolução. Que meu coração caminhe sempre com meus pensamentos, atos e palavras, e que eu não atente contra meus semelhantes por orgulho e vaidade; que eu possa conhecer e entender a mim mesma(o) e, assim, me tornar um ser humano melhor a cada dia.

Que vossos poderosos chicotes estejam à frente dos meus inimigos, encarnados ou não, todas as vezes que quiserem me fazer mal, e que eles sejam libertados de seus negativismos. Que na força do tempo e do vosso poderoso chicote, no som do vosso berrante e no forte giro do vosso laço, sejam abertos meus caminhos, portas, passagens, campos e porteiras, e retiradas todas as demandas e ações negativas enviadas a mim ou atraídas por mim.

Sagrados Caboclos Boiadeiros, eu vos peço que, se por ignorância minha, eu me perder em meio às estradas da minha vida terrena, os Senhores estejam à minha frente com o som dos vossos Sagrados Berrantes e me mostrem o melhor caminho a seguir.

Sagrados Caboclos Boiadeiros, agradeço-vos e peço que me tragam saúde, equilíbrio, sabedoria coragem, amor, alegria, fé, prosperidade, abundância e harmonia. Que os Senhores me deem vossa bênção, vosso amparo e vossa sustentação divina. Peço por mim, minha casa, minha família e todos que sejam merecedores. Peço que purifiquem minha casa de todas as energias e vibrações negativas, livrem-na de tudo que for negativo e levem amor e harmonia para dentro dela.

Que assim seja. Amém!

Salve os sagrados Caboclos Boiadeiros!

Salve a nossa Umbanda Sagrada!

50 – Oração ao Sagrado Caboclo Cobra-Coral

Sagrado Caboclo Cobra-Coral, grande conhecedor de poderosos Mistérios Divinos, que junto ao Pai Oxóssi e à Cabocla Jurema tem vosso ponto de forças nas matas e florestas. Entre inúmeros conhecimentos, trazeis convosco os Mistérios das Cores, da Agilidade, da Sabedoria e da Cura; de joelhos perante o Senhor, e com muita fé, pedimos vosso auxílio.

Sagrado Caboclo Cobra-Coral, nós vos pedimos que purifiqueis nossa visão para que possamos enxergar nossas próprias falhas, e não as dos nossos irmãos. Ensinai-nos que só com a reforma íntima podemos evoluir. Mostrai-nos que Deus é soberano e justo com todos os seus filhos e que a fé torna possível tudo o que desejamos.

Não permitais que as pedras com as quais depararmos em nossos caminhos nos impeçam de caminhar. Que ninguém nos tire do lugar que Deus nos colocou. Que saibamos ser autênticos e verdadeiros conosco e nossos irmãos. Que possamos vibrar boas energias. Que sejamos um bom caminho para os que precisam de nós e que tenhamos bondade em nossos corações.

Sagrado Caboclo Cobra-Coral, pedimos que vossas vibrações e irradiações vivas e divinas sejam o bálsamo para curar todos os males que afetam nosso corpo carnal, nosso espírito imortal, nosso mental e emocional. Que sejamos libertados das angústias, do egoísmo, de dores, do medo e dos vícios. Que seja purificado todo o negativismo dos nossos campos mediúnicos, vibratórios e energéticos da nossa casa e da nossa família.

Que o Senhor nos traga saúde, fé, coragem, amor, sabedoria, prosperidade, fartura e harmonia em todos os campos da vida. Ajudai-nos a superar nossas fraquezas, nossos medos, e libertai-nos das doenças causadas pelos nossos próprios sentimentos. Que seja removido das nossas vidas tudo de negativo que nos impede de enxergar Deus e sua grandeza para conosco.

Sagrado Caboclo Cobra-Coral, nós vos pedimos que, perante vossos Sagrados Mistérios, o Senhor purifique o íntimo dos nossos inimigos. Libertai-os do ódio, da mágoa, dos rancores. Curai a maldade dos seus corações. Mostrai-lhes os caminhos da evolução. Camuflai-nos nos Mistérios das Cores e das Matas todas as vezes que eles tentarem nos atingir com atos, pensamentos, elementos e palavras.

Sagrado Caboclo Cobra-Coral, nós vos agradecemos e pedimos vossa bênção, vosso amparo e vossa proteção divina em todos os dias da nossa jornada, e que o Senhor nos defenda de todos os irmãos mal-intencionados que, por maldade e egoísmo, destilam seu veneno para nos prejudicar.

Que assim seja. Amém!

Salve o Sagrado Caboclo Cobra-Coral!

Salve todo o Povo das Matas e Florestas!

Salve a nossa Umbanda Sagrada!

51 – Oração ao Sagrado Caboclo Pena Branca

Sagrado Caboclo Pena Branca, guerreiro de Oxalá, grandiosa e iluminada entidade, que transmite paz por onde passa, que trabalha incansavelmente pelo equilíbrio espiritual daqueles que vos clamam e confiam em vossa luz. Ao Senhor que comanda com sabedoria e humildade uma grandiosa falange, que conhece incontáveis Mistérios Divinos e trabalha amorosamente com eles em todas as Casas, Templos e Terreiros da nossa Sagrada Umbanda, saudamos e nos ajoelhamos para vos pedir auxílio.

Sagrado Caboclo Pena Branca, pedimos que, com vossa Sagrada Flecha, vosso Poderoso Bodoque e vossa Sagrada Falange, o

Senhor venha nos libertar das garras dos inimigos, encarnados ou não; que venha nos defender das injustiças, da violência e do ego humano. Vinde purificar e renovar as nossas energias, bem como nos curar de todos os males do nosso corpo, do nosso espírito, do nosso mental e do nosso emocional. Ajudai-nos a ter boa conduta perante nossos irmãos; ensinai-nos a não acumular mágoas, ódios e rancores; trazei paz à nossa casa, nossa família e nossa vida.

Que sejamos leves como suas penas, mas que saibamos a direção do caminho. Que nossos sentimentos e pensamentos sejam iluminados e que sejamos bons instrumentos do nosso Criador todos os dias. Ensinai-nos a perdoar aqueles que estimulam em nós os nossos piores sentimentos e que nada de negativo permaneça em nossos corações. Ensinai-nos a trilhar pelos caminhos do amor, da humildade, da caridade e da luz. Não permitais que os conflitos alheios escureçam nossa alma, mas que tenhamos uma palavra de conforto para afagá-los.

Sagrado Caboclo Pena Branca, nós vos pedimos que tragais luz para os que se encontram no escuro; o alimento para os que se encontram famintos; fé e esperança para os que se encontram perdidos nos próprios abismos. Renovai as energias dos enfraquecidos, trazei a cura para toda a humanidade, ensinai-nos a caminhar com confiança no Senhor, e que saibamos que Deus é o Criador de tudo e de todos e que Ele nunca abandona seus filhos.

Sagrado Caboclo Pena Branca, nós vos agradecemos e pedimos vossa bênçoe, vosso amparo e vossa proteção divina em todos os dias da nossa caminhada. Que o Senhor nos traga saúde, prosperidade, equilíbrio, sabedoria, amor e harmonia. Abençoai nossa casa, nossa família e todos que sejam merecedores. Pedimos também que o Senhor abençoe e proteja todos os dirigentes das Casas, Templos e Terreiros da nossa Umbanda Sagrada, para que eles tenham sabedoria, humildade e fé para ensinar com amor todos que confiam neles.

Que assim seja. Amém!

Salve o Sagrado Caboclo Pena Branca!

Salve a nossa Umbanda Sagrada!

52 – Oração ao Sagrado Caboclo das Sete Encruzilhadas

Sagrado, sábio e humilde Caboclo das Sete Encruzilhadas, conhecedor de incontáveis Mistérios Divinos, que implantou nesse meio a Umbanda de humildade, de amor e de caridade, que entre muitos trabalhos aqui realizados, levou conforto e harmonia aos lares, cura para os enfermos, e fortaleceu a fé dos descrentes; entre muitos ensinamentos o Senhor nos mostrou que na Sagrada Umbanda com os mais evoluídos aprenderemos e aos menos evoluídos ensinaremos.

De joelhos perante o Senhor, com fé, humildade e amor, pedimos vosso auxílio divino. Vinde nos socorrer, não permitais que o ego, a vaidade e a luxúria tomem conta do nosso mental; ajudai-nos a moldar nosso interior com sabedoria, para que, assim, possamos nos tornar seres humanos melhores para nós mesmos e nossos semelhantes. Ajudai-nos a olhar para os nossos irmãos com bondade, solidariedade e amor; ajudai-nos a ser caridosos e a crer que as forças do bem sempre foram e sempre serão maiores que as forças do mal.

Sagrado Caboclo das Sete Encruzilhadas, clamamos que vossas irradiações e vibrações vivas e divinas sejam projetadas em nosso corpo carnal e espírito imortal, em nosso emocional e mental, trazendo-nos saúde, fé, coragem, equilíbrio, sabedoria e amor. Que a paz e a harmonia se façam presentes em nossos lares e que o Senhor proteja nossa família e leve saúde e serenidade a eles.

Pedimos, também, que o Senhor, com vossa humildade e sabedoria, perante vossos Sagrados Mistérios, leve a cura para o espírito e a matéria dos nossos inimigos. Livrai-os de seus conflitos consigo mesmos e conosco, e ensinai-lhes os valores dos sentimentos nobres.

Sagrado, humilde e sábio Caboclo das Sete Encruzilhadas, pedimos, ainda que o Senhor leve nossos clamores até o Sagrado Pai

Oxalá e que Ele perdoe nossa ignorância e nos ensine a amar a nós mesmos e nossos irmãos e que saibamos doar com gratidão os Dons Sagrados que d'Ele recebemos, sem explorar a fé dos que confiam na espiritualidade. Que o Senhor também peça às Divinas Mães Orixás para nos cobrir com seus Sagrados Mantos e abrandar os nossos corações.

Sagrado Caboclo das Sete Encruzilhadas, clamamos que o Senhor, junto às falanges de Pai Oxalá, de Pai Oxóssi, Pai Ogum, Pai Xangô e as sete linhas de Umbanda, venha em nossa direção recolhendo e anulando tudo de negativo que nos envolve. Limpai, purificai e equilibrai nosso espírito, nossa matéria, nossa casa, nossa família, nosso trabalho, nossos campos e corpos internos e nossos caminhos.

Que sejam quebradas e anuladas todas as demandas e magias negativas enviadas a nós ou atraídas por nós. Não permitais que o ódio, mágoa e rancores aprisionem os nossos corações e que, de consciência pura e límpida, possamos caminhar rumo à nossa evolução.

Sagrado Caboclo das Sete Encruzilhadas, nós vos agradecemos e pedimos vossa bênção, vossa sustentação e a proteção divina em todos os dias da nossa jornada. Pedimos que o Senhor abençoe todos os dirigentes das Tendas, dos Terreiros, das Casas e dos Templos da Nossa Sagrada Umbanda e dê sustentação a todos os médiuns para que busquem conhecimento, tenham fé, firmeza mental e desejo de evoluir espiritualmente e, assim, possam levar adiante nossa Sagrada Umbanda de humildade, amor e caridade.

Que assim seja. Amém!

Salve o Sagrado Caboclo das Sete Encruzilhadas!

Salve as sete linhas de Umbanda!

Salve a nossa Umbanda sagrada!

53 – Oração ao Sagrado Caboclo das Sete Flechas

Sagrado Caboclo Sete Flechas, o Senhor que conhece grandiosos Mistérios Divinos, entre os quais trabalha e domina com sabedoria nos Mistérios das Ervas, das Matas, das Florestas e da Cura; que trazeis convosco bravura, seriedade, humildade, bondade, sabedoria, e forças e vibrações do Pai Oxóssi; que trabalhais incansavelmente para quem, com humildade e fé, clama por vosso Nome Sagrado; de joelhos perante o Senhor venho pedir o vosso auxílio divino. Vinde me ajudar, vinde quebrar todas as demandas da minha vida, vinde desmanchar as mandingas negativas, as magias negras e as bruxarias que envolvem meu nome, meu retrato, meu corpo carnal, minha casa, minha família e meu espírito imortal. Quebrai, desmanchai e anulai as demandas atraídas pelos meus próprios pensamentos e sentimentos, libertai-me da mágoa, do rancor, dos ciúmes e dos meus conflitos internos.

Sagrado Caboclo Sete Flechas, que nas forças e poderes da vossa Flecha e do vosso Arco Sagrado sejam cortadas todas as forças negativas que atrasam meu crescimento e minha evolução espiritual. Trazei-me ânimo, coragem, sabedoria e bravura para eu não murchar diante do deserto do meu próprio íntimo, e que eu não fuja de mim mesma(o) nas grandes decisões da minha jornada. Que eu tenha humildade e discernimento para orientar um irmão. Que eu saiba que cada um de nós tem um tempo para evoluir, mas que precisamos ir em busca de conhecimento. Que eu aprenda a me espelhar nos exemplos de bondade, caridade, amor e humildade que o Senhor me mostra todas as vezes que tenho olhos para enxergar.

Sagrado Caboclo Sete Flechas, peço, neste momento, que nas Forças e nos Mistérios das Ervas e das Matas o Senhor traga a cura de todos os males que afetam a mim, minha família e todos os habitantes do planeta Terra, e que nossos corações sejam purificados do ego, da soberbia, da arrogância, da injustiça, da falta de fé e de amor ao próximo.

Que possamos nos colocar no lugar dos nossos irmãos e, assim, aprender a não julgar, mas, sim, ser luz na escuridão deles e na nossa. Que o Senhor purifique o íntimo dos meus inimigos e ensine-os a ter humildade, fé e amor por si mesmos e pelo próximo. Que vossa Sagrada Flecha não permita que eles cheguem até mim, nem minha família com suas maldades.

Sagrado Caboclo Sete Flechas, eu vos agradeço e peço vossa bênção, vossa proteção e vossa sustentação divina em todos os dias da minha jornada, e que eu tenha sempre abundância e fartura na minha casa, em minha mesa e em minha vida. Que minhas florestas internas tenham muitas flores para enfeitar minha caminhada e a vida de quem está perto de mim.

Que assim seja. Amém!

Salve o Sagrado Caboclo Sete Flechas!

Salve a nossa Umbanda Sagrada!

54 – Oração ao Sagrado Caboclo das Sete Montanhas

Sagrado Caboclo Sete Montanhas, o Senhor que é conhecedor de grandiosos Mistérios Divinos; que traz convosco as forças da natureza e do Sagrado Senhor Xangô; que entre muitos Mistérios trabalha com sabedoria e bondade os Mistérios das Matas, Pedreiras, Florestas e Montanhas; que não nega auxílio aos que clamam por vosso Sagrado Nome. Com fé, neste momento, de joelhos perante o Senhor, venho pedir vosso auxílio.

Não me deixeis perecer nesse meio em que vivo. Ajudai-me a me libertar do peso que carrego nas costas, no coração e na alma. Não permitais que eu suba no topo do ego e da ignorância; ensinai-me a caminhar com leveza, coragem, sabedoria e equilíbrio.

Sagrado Caboclo Sete Montanhas, ensinai-me a escalar minha própria montanha e a apreciar as paisagens no caminho da escalada. Se eu chegar ao topo, que eu tenha a humildade para enxergar de onde parti. Que eu tenha coragem para me encontrar dentro de mim, de me assumir e me corrigir, para que assim me torne uma pessoa melhor para mim e meus irmãos.

Que eu tenha palavras nobres para proferir e seja exemplo delas. Que eu seja livre de preconceitos e de julgamentos, que eu emane amor, compaixão e perdão. Que não seja eu a atirar pedras nos mais fracos e que a minha fé seja capaz de colocar montanhas de luz onde houver escuridão.

Sagrado Caboclo Sete Montanhas, clamo que, nas Forças e Mistérios das Pedreiras, Matas e Montanhas, o Senhor dilua, desfaça e quebre todas as demandas e magias negativas enviadas a mim, minha casa, minha família ou atraídas por mim, e que sejam anuladas todas as energias e vibrações negativas que nos envolvem. Peço, também, que vós tragais a cura para todos os males do meu espírito, da minha matéria, do meu emocional e mental, e que do alto da vossa Sagrada Montanha seja trazido um sopro de cura para toda a humanidade, segundo o merecimento de cada um de nós.

Que possamos crescer, evoluir e respeitar a natureza e as Leis Divinas. Peço, ainda, que o Senhor purifique o íntimo dos meus inimigos, liberte-os dos seus negativismos e afaste-os de mim. Que o Senhor recolha, socorra, cure e encaminhe a seus lugares de merecimento todos os espíritos negativos ligados a mim, minha casa e minha família.

Sagrado Caboclo Sete Montanhas, agradeço-vos e peço vossa bênção, vosso amparo, vossa proteção e vossa sustentação divina. Peço por mim, minha casa, minha família e todos que sejam merecedores. Trazei-nos saúde, fé, amor, prosperidade, abundância e harmonia para os nossos lares e nossas vidas. Que saibamos valorizar esses grandiosos bens. Que o Senhor me traga a sabedoria e as forças das montanhas todas as vezes que eu fraquejar diante de um obstáculo.

Que assim seja. Amém!

Salve o Sagrado Caboclo Sete Montanhas!

Salve a nossa Umbanda Sagrada!

55 – Oração ao Sagrado Caboclo do Tambor

Sagrado Caboclo do Tambor, conhecedor de inúmeros Mistérios Divinos, entre eles os Sagrados Mistérios dos Cânticos, dos Ventos, das Matas, dos Quilombos e dos Tambores; que conheceis também a luta do povo escravizado; que por meio da vossa sabedoria e humildade levais alegria a muitos lugares, entre eles terreiros, casas e templos umbandistas, e juntamente com a fé e as mãos dos Ogãs sobre seus tambores é que encontramos o código de acesso ao mundo espiritual e a sustentação vibratória a todo povo de Aruanda que chegam à terra para trabalhar.

Sagrado Caboclo do Tambor, eu vos saúdo neste momento e peço que venhais em meu auxílio nesse meio onde vivo e que muitas vezes preciso tanto do Senhor. Que o ecoar do vosso tambor adentre meus ouvidos e me acorde do sono do ego, da arrogância e da ignorância. Que me desperteis para que eu tenha a leveza para ir em busca dos meus objetivos sem apegos e sem infringir as Leis Divinas. Que eu não seja escravizada(o) por ninguém, nem pelos encarnados nem pelos desencarnados.

Protegei-me dos malfeitores que me açoitam nas sombras e abusam das minhas fraquezas. Acordai-me e abri minha visão para eu enxergar aqueles que não me querem bem, me perseguem, me iludem, me odeiam e sugam minhas energias. Ensinai-me a me afastar deles sem ódio no meu coração, e que cada um siga seu caminho buscando o crescimento e a evolução. Ajudai-me a me libertar das dores, das aflições, das angústias, das ilusões, dos dissabores e das mágoas que me cegam e não permitem que eu veja as bênçãos, a beleza e a luz que recebo todos os dias do meu Criador.

Sagrado Caboclo do Tambor, clamo que, por meio dos Mistérios dos Cânticos, das Matas e dos Ventos, o Senhor traga saúde, equilíbrio, fé, amor e alegria a mim, minha família e todos os irmãos que precisam e mereçam. Que na minha casa não falte amor, harmonia, compreensão, abundância, prosperidade e boas energias.

IV – SAGRADOS CABOCLOS E CABOCLAS

Clamo, também, vossa bênção e vossa proteção divina a todos os Ogãs que se reúnem num ato de amor, fé, alegria e dedicação para saudar vossos Mistérios com as mãos sobre os Sagrados Tambores e não medem esforços para tocar, cantar e clamar em terra as falanges dos Orixás.

Sagrado Caboclo do Tambor, peço, também, que neste momento sejam quebradas, desmanchadas e anuladas todas as ações negativas enviadas a mim ou atraídas por mim, e anuladas todas as energias e vibrações negativas que me envolvem, e que seja aberta a minha conexão de acesso à espiritualidade maior.

Agradeço-vos por todas as bênçãos que o Senhor me concede e peço que me guie, guarde, ampare e perdoe pelas faltas e falhas aqui cometidas. Que me permita ouvir o som do vosso tambor todas as vezes que eu estiver surda(o) diante da verdade e da razão.

Que assim seja. Amem!

Salve o Sagrado Caboclo do Tambor!

Salve vossa Falange!

Salve a nossa Umbanda Sagrada!

V – SAGRADOS PRETOS-VELHOS E PRETAS-VELHAS

56 – Oração à Preta-Velha Vovó Carolina

Sagrada Preta-Velha Vovó Carolina, conhecedora de grandiosos Mistérios Divinos, que trazeis convosco amor, serenidade, humildade, bondade, sabedoria e grandeza do perdão, que com doçura socorreis todos que precisam do vosso amparo; de joelhos perante a Senhora, pedimos o vosso auxílio. Que na grandeza dos vossos Mistérios e na doçura das vossas sábias palavras, nossos corações sejam acalentados, as nossas dores sejam amenizadas, as mágoas e os rancores não invadam nosso ser. Que os malfeitores encontrem o caminho da luz. Que a maldade dos nossos inimigos não chegue até nós. Que as doenças não atinjam o nosso corpo nem nosso espírito. Que nossas lágrimas não caiam sobre nosso rosto. Que as nossas palavras, pensamentos, atos e sentimentos sejam nobres para que, assim, possamos alegrar os olhos do nosso Criador.

Sagrada Vovó Carolina, ensinai-nos a nos amar e a amar nossos irmãos, a sermos bondosos e humildes; anulai em nosso íntimo o desejo de vingança; ensinai-nos a perdoar e pedir perdão, e não permitais que o orgulho e a vaidade tomem conta de nós. Ensinai-nos a agradecer ao Pai Maior por cada dia que ele amorosamente nos permite viver nessa terra abençoada. Que saibamos dar valor às pequenas coisas da vida e possamos enxergar a presença de Deus e a grandeza d'Ele em cada canto, em cada folha e em cada flor.

Sagrada e amada Preta-Velha Vovó Carolina, nós vos pedimos que perante vossos Sagrados Mistérios a Senhora purifique tudo que há de negativo em nossa casa, nossa família, nosso espírito, nossa matéria, nosso mental e emocional; trazei-nos saúde, equilíbrio, fé, sabedoria, amor, prosperidade, harmonia e serenidade. Ensinai-nos a buscar a paz em nosso próprio íntimo e nos autoconhecermos, para que assim possamos buscar o nosso crescimento, a nossa evolução e deixarmos de julgar nossos irmãos.

Sagrada e sábia Vovó Carolina, nós vos pedimos, também, que nos liberteis dos vícios e dos caminhos das ilusões que só nos levam para lugares escuros e sombrios; ensinai-nos que amor, fé, caridade e bondade são essenciais em nossas vidas.

Sagrada Preta-Velha Vovó Carolina, nós vos agradecemos e pedimos vossa bênção, vosso amparo e vossa proteção divina em todos os dias da nossa jornada, mas, se por ignorância, medo ou fraqueza nos perdemos em meio aos caminhos desta vida, que a Senhora, com vossa doçura e sabedoria, nos auxilie para que possamos erguer a cabeça e seguir adiante.

Que assim seja. Amém!

Salve a Sagrada Preta-Velha Vovó Carolina!

Salve a nossa Umbanda Sagrada!

57 – Oração ao Sagrado Preto-Velho Pai Benedito de Aruanda

Sagrado Preto-Velho Pai Benedito de Aruanda, conhecedor de incontáveis Mistérios Divinos, mentor espiritual de inúmeros pais e mães de Templos, Casas e Terreiros em meio à nossa Sagrada Umbanda, que, com muita sabedoria e doçura, com firmes e sábias palavras, leva conforto a todos que com fé clamam por vosso socorro; de joelhos perante o Senhor, com muita fé, pedimos vosso auxílio.

Que o Senhor nos liberte de todo peso que carregamos em nossas costas devido aos nossos sentimentos negativos e nossa ignorância. Ensinai-nos a desapegarmos de tudo que não nos pertence, pois nada nesse meio pertence a nós, pois o importante para o nosso crescimento espiritual são as nossas boas ações. Libertai-nos das mágoas, dos rancores e não nos deixeis amedrontarmos diante das duras batalhas da nossa vida, mas que possamos evoluir com elas. Não permitais que a covardia tome conta de nós na hora dos grandes desafios do nosso dia a dia.

Dai-nos fé, coragem, equilíbrio e sabedoria para não fraquejarmos, nem paralisarmos diante das duras chibatadas que muitas vezes a vida nos dá. Abrandai nossa mente para que possamos encontrar luz e alegria em nosso interior. Libertai-nos do preconceito, do egoísmo, da arrogância e que nossa alma não seja escravizada por nós mesmos, nem por ninguém de má índole, encarnado ou não.

Sagrado Preto-Velho Pai Benedito de Aruanda, nós vos pedimos que nos defendais e nos protejais de todos que humilham seus irmãos, dos que ofendem, maltratam, aprisionam e usam as palavras como chicote para ferir e machucar os mais fracos. Libertai-nos das correntes que nos prendem nos troncos do nosso próprio íntimo todas as vezes que somos egoístas, soberbos e maldosos.

Sagrado Preto-Velho Pai Benedito de Aruanda, nós vos pedimos que perante vossos Sagrados Mistérios, vossas dóceis e sabias palavras, o Senhor traga a cura de todos os males do nosso corpo carnal e espiritual, do nosso emocional e mental. Curai nossas feridas abertas, a angústia, a mágoa e o ódio que adoecem; as ilusões que atordoam e os tormentos que corroem a alma.

Que com vossa leveza e serenidade, o Senhor adentre nossa casa e anule todas as energias e vibrações negativas e recolha todos os espíritos que lá estejam precisando de socorro; curai-os e encaminhai-os para seus lugares de merecimento. Levai a paz e a harmonia aos nossos lares, trazei saúde, fé, bondade, amor, sabedoria e prosperidade para todos nós, segundo o nosso merecimento.

Ensinai-nos a amar, ter fé, ser caridosos e cordiais, a pedir perdão e perdoar, e que tenhamos o coração leve e livre dos excessos negativos. Pedimos, também, que o Senhor cure as mágoas, os rancores, a inveja e o ódio que nossos inimigos sentem por nós; ensinai-lhes que são o amor, o perdão e a bondade o que nosso Criador deseja de nós.

Sagrado Pai Benedito de Aruanda, nós vos agradecemos e pedimos vossa bênção, vosso amparo e vossa sustentação divina em todos os dias da nossa jornada. Que o Senhor ajude na evolução de todos os filhos dos templos da Nossa Sagrada Umbanda. Ajudai, também, os irmãos de outras religiões que buscam fé, amor e desejam agradar os olhos do Nosso Divino Criador com suas ações. Pedimos, também, que sejam conduzidos para os caminhos da evolução todos os irmãos que ainda estão presos no preconceito e paralisados na sua própria ignorância. Que no estalar dos vossos dedos e nos Mistérios das Ervas Sagradas, o Senhor cruze nosso corpo para que ninguém com maldade em seus pensamentos, atos e palavras possa nos atingir.

Que Assim seja. Amém!

Salve o Sagrado Preto-Velho Pai Benedito de Aruanda!

Salve a nossa Umbanda Sagrada!

58 – Oração ao Sagrado Preto-Velho Pai Joaquim

Sagrado e amado Preto-Velho Pai Joaquim, conhecedor de incontáveis Mistérios Divinos, que conhece bem as dores e as tristezas dos encarnados; que trazeis convosco bondade, fé, amor e caridade, que com vossa doçura e sabedoria a ninguém desampara; que ensina, aconselha e ajuda a todos que querem crescer e evoluir; que é terno, amável, dócil, mas verdadeiro e firme em vossas sábias palavras fazendo com que enxerguemos nossos próprios erros.

Sagrado Preto-Velho Pai Joaquim, por vossa vasta sabedoria e pelos vários Mistérios dos quais o Senhor é conhecedor, é que nos ajoelhamos e pedimos vossa ajuda, sagrado e amado Preto-Velho. Ajudai-nos a ter simplicidade, humildade e nobreza de espírito, doçura em nossas palavras, a ter bondade em nossos corações e amor por nós mesmos e pelos nossos irmãos.

Ajudai-nos a ter paciência para esperar que Deus e o tempo coloquem tudo em seus devidos lugares e que possamos compreender que nesta vida terrena nada nos pertence, nem mesmo nosso próprio corpo, mas que ele é o Templo Sagrado que abriga nosso espírito enquanto cumprimos nossa missão terrena.

Sagrado Preto-Velho Pai Joaquim, fortalecei nossa coragem e ajudai-nos a ter fé e a ser fortes nas estreitas trilhas da nossa caminhada e que possamos ultrapassar todos os obstáculos sem perder nosso amor pela vida. Se por fraqueza e ignorância nos perdermos em meio aos caminhos difíceis e tortuosos da vida, que o Senhor segure firme nossa mão, mostre-nos os caminhos luminosos e nos ensine que o grande passo para a descoberta é buscar o conhecimento em todos os campos da vida.

Ensinai-nos a sermos grandiosos, a saber perdoar, a saber pedir perdão, a ter capacidade para agradar aos olhos do nosso Pai Maior. Ajudai-nos a lidar com nossas batalhas diárias e colocar sempre em primeiro lugar as vontades de Deus, pois só Ele sabe o que é melhor para nós.

Sagrado Preto-Velho Pai Joaquim, pedimos que o Senhor cuide da nossa casa, da nossa família e nos traga saúde, prosperidade, alegria, amor e sabedoria para lidarmos uns com os outros. Que tenhamos equilíbrio para manter a paz e a harmonia dentro do nosso lar. Pedimos, também, que o Senhor cuide dos nossos inimigos, cure a raiva, a inveja, as mágoas e todos os sentimentos negativos que eles têm por nós. Ensinai-os a caminhar em paz, com fé e com amor.

Sagrado Preto-Velho Pai Joaquim, nós vos agradecemos pelo imenso amor, bondade e pela paciência conosco, e pedimos vossa bênção, vosso amparo e vossa proteção divina em todos os dias de nossa caminhada. Que o Senhor nos traga conforto todas as vezes que nossas lágrimas caírem de tristeza e dor, e que possamos estar sempre sob vossa luz divina.

Que assim seja. Amém!

Salve o Sagrado Preto-Velho Pai Joaquim!

Salve a nossa Umbanda Sagrada!

59 – Oração ao Sagrado Preto-Velho Pai Manoel

Sagrado Preto-Velho Pai Manoel, o Senhor que, com a permissão do nosso Criador, é grande conhecedor de poderosos Mistérios Divinos, que com vossas sábias palavras de conforto auxilia todos que precisam do Senhor, neste momento, de joelhos, com muita fé e amor pelo Senhor, é que pedimos vosso auxílio divino.

Que o Senhor ilumine nossos ouvidos para que saibamos ouvir todas as palavras de amor a nós proferidas. Iluminai nossos olhos, para que possamos enxergar o quanto nosso Criador é bondoso conosco. Iluminai nosso coração, nossa mente e alma, para que saibamos sentir e discernir entre o bem e o mal.

Sagrado Pai Manoel, também pedimos que o Senhor purifique, transmute e transforme todo o negativismo dos nossos íntimos e cure nossas dores, mágoas e aflições. Que na calma dos seus gestos, na doçura e sabedoria de vossas palavras sejamos consolados, amparados e acolhidos. Ajudai-nos a passar com fé pelas duras provações que encontramos em nossos caminhos. Não permitais, meu Pai Manoel, que a ignorância, tristeza, falta de amor, de fé e humildade tomem conta de nós. Que consigamos enxergar o amor Divino em cada canto da natureza. Afastai da nossa vida tudo e todos que nos causam mal.

Defumai nossa casa e que, na fumaça de vossas Sagradas Ervas e Elementos, sejam recolhidos todos os espíritos negativados que, por alguma razão, estejam alojados nela, em nosso corpo carnal e espiritual e em nossos familiares. Curai-os e encaminhai-os para seus lugares de merecimento. Pedimos, também, que seja purificado de todo negativismo nossos sete caminhos, sete campos e corpos internos, e que nada de negativo os adentre.

Sábio Pai Manoel, clamamos que nas irradiações de Pai Oxalá, Pai Obaluaiê, Mãe Nanã Buruquê e de vossos Sagrados Mistérios sejam curados todos os males que atingem o nosso corpo, espírito e alma, e que tenhamos saúde, fé, amor, humildade, sabedoria e bondade para alcançarmos a nossa evolução espiritual. Curai, também, as amarguras e rancores dos nossos inimigos, ensinai-os a amar a si mesmos e seus irmãos, para que, assim, possam aprender a praticar a caridade.

Sagrado Pai Manoel, nós vos agradecemos e pedimos vossa bênção e vossa proteção divina em todos os dias da nossa jornada. Que o Senhor esteja sempre conosco e que nos envolva em vossos Sagrados Mistérios e em vossa Luz Divina. Que o Senhor auxilie na cura de todas as doenças que atingem a humanidade, segundo a vontade divina.

Que assim seja. Amém!

Salve o Sagrado Preto-Velho Pai Manoel!

Salve toda a corrente dos Sagrados Pretos-Velhos!

Salve a nossa Umbanda Sagrada!

VI – OUTRAS ORAÇÕES

60 – Apelo de um Médium ao Sagrado Senhor Ogum Sete Ondas

Sagrado Senhor Ogum Sete Ondas, conhecedor de incontáveis Mistérios Divinos, que dominais com sabedoria os Mistérios das Ondas e do Mar Sagrado, que trabalhais incansavelmente em benefício dos quem creem em vós, que também conhece as fraquezas e o íntimo dos encarnados.

Sagrado Senhor Ogum Sete Ondas, é neste momento de aflição e tormento, no qual me encontro agora, que clamo por vosso auxílio divino. Libertai-me da mágoa, da tristeza e dessa dor que vêm do fundo do meu ser, corroem meu peito e arrancam lágrimas dos meus olhos. Sei que, como médium de Umbanda, eu deveria crer que a dor que sinto neste momento é a mesma que me fará crescer um dia, e que o Divino Criador tem seus propósitos na vida de cada filho seu; sei que Ele tem um desígnio para mim e espera que eu o cumpra.

Tende piedade de mim, meu Senhor Ogum Sete Ondas, por eu errar tanto em meio a esse meio. Ajudai-me a crer que esse negativismo e tormento que estou sentindo são causados em grande parte por mim mesma(o). Socorrei-me, amparai-me, diluí do meu íntimo esses sentimentos sombrios que causam tanto sofrimento e escurecem minha alma. Curai meu espírito e meu corpo. Ordenai a minha vida.

Meu Senhor, fazei-me crer que sou uma semente semeada nesse meio pelo Criador de tudo e de todos, e que Ele espera ver sua luz em meus sentimentos, atos e palavras. Perdoai-me, meu Senhor Ogum Sete Ondas, por eu ter fraquejado e permitido que esses sentimentos negativos tomassem conta de mim, pois neste momento estou em conflito comigo mesma(o), com tudo e todos.

Estou sentindo um enorme rancor no meu coração. Agonia, angústia e desejo de vingança tomam conta de mim. Lágrimas escorrem sobre meu rosto. Sinto-me perdida(o). Ajudai-me a alegrar os olhos do meu Criador com minhas ações, não permitais que eu caia ainda mais nesse abismo, afastai essa escuridão da minha vida e não permitais que eu chegue às últimas esferas negativas.

Sagrado Senhor Ogum Sete Ondas, suplico que recolhais, cureis e encaminheis todos os espíritos negativos e os trevosos que estão atuando contra mim, levando-me a perder a fé, a esperança e o amor pela vida. Recolhei, também, os que estão em minha casa e em minha família escurecendo nossas vidas. Não permitais que meus inimigos, encarnados ou não, se aproximem de mim com maldades. Purificai o negativismo deles e afastai-os de mim. Que vossas Sagradas Ondas banhem meus olhos e clareiem minha visão para que eu enxergue a grandeza e a beleza da vida.

Sagrado Senhor Ogum Sete Ondas, gratidão! E mesmo que eu vos agradecesse todos os dias da minha vida, não seria o suficiente diante de tamanha ajuda e auxílio recebidos. Pois, neste momento, enquanto eu termino este apelo ao Senhor, já me sinto melhor, com o meu coração sereno. Perdoai-me por ser tão ignorante diante dos vossos Mistérios. Que perante o vosso ponto de forças o Senhor me traga saúde, equilíbrio, sabedoria, amor, prosperidade e harmonia.

Não permitais que nada nem ninguém me faça ter os sentimentos negativos de outrora. Que eu saiba cuidar do meu íntimo para atrair apenas sentimentos positivos e iluminados para ajudar a mim e meus irmãos, pois, afinal, sou soldado de Aruanda e devo levar a luz de Oxalá por onde quer que eu vá.

Sagrado Senhor Ogum Sete Ondas, agradeço-vos e peço que vós me abençoeis, ampareis, protejais, deis sustentação em todos os dias da minha caminhada e que façais de mim um bom instrumento do meu divino Criador para que, com fé, humildade, amor e bondade, eu cumpra minha missão.

Que assim seja. Amém!

Salve o Sagrado Senhor Ogum Sete Ondas!

Salve nossa Umbanda Sagrada!

61 – Oração à Sagrada Santa Sara Kali

Sagrada Santa Sara Kali, padroeira do amado Povo Cigano, que trazeis convosco fé, alegria, humildade, liberdade, sabedoria e conheceis incontáveis Mistérios Divinos, entre eles é grande conhecedora dos Mistérios da Cura, dos Encantos do Fogo, das magias, das estradas, da noite, da lua, da natureza, e que também conheceis o íntimo de todos nós encarnados, neste momento, de joelhos diante da Senhora, com muita fé e amor, pedimos vosso auxílio divino.

Sagrada Santa Sara Kali, pedimos que, perante os Sagrados Mistérios do Fogo, a Senhora purifique e dilua todo negativismo dos nossos caminhos. Que sejam desmanchadas e anuladas todas as magias negativas, bruxarias, encantamentos, magia negra, feitiços, pragas rogadas e demandas em forma de pensamentos, elementos, atos e palavras, enviados a nós ou atraídos por nós. Que a Senhora traga luz para a escuridão do nosso íntimo. Fortalecei nossa fé e libertai-nos dos pensamentos ruins que se instalam em nosso mental e escurecem nossa alma, arrastando-nos em meio às amarguras e tristezas.

Sagrada Santa Sara Kali, pedimos que fortaleça nosso emocional e mental, bem como nos ajude a buscar os conhecimentos em todos os campos e sentidos da nossa vida, para que, assim, deixemos de atribuir aos nossos irmãos os erros que são só nossos. Libertai-nos da ignorância que nos leva a julgar, mentir, odiar e ser amargos e preconceituosos. Ensinai-nos a ocultar todas as palavras de calúnia e blasfêmia contra os nossos irmãos. Ensinai-nos a respeitar o Criador e Suas Leis Divinas, a Mãe Natureza e tudo contido nela. Também pedimos que nos ensine a respeitarmos a nós mesmos e aos nossos irmãos.

Sagrada Santa Sara Kali, mostrai-nos que sem fé, sem amor e humildade não chegamos a lugar algum, e devemos caminhar acreditando que o Nosso Divino Criador sempre tem o melhor para seus filhos. Que tenhamos bondade em nossos corações e palavras de consolo para aqueles que precisam de nós. Mostrai-nos que ego, luxúria, arrogância e preconceito escurecem nosso espírito e adoecem nosso corpo carnal.

Sagrada Santa Sara Kali, nós vos pedimos que, perante os Mistérios da Noite e da Lua Cheia, seja quebrado e anulado tudo de negativo que nossos inimigos enviam a nós. Que seja purificado o íntimo deles de todo ódio, mágoa, inveja, raiva, rancores e amarguras. Não permitais que sejamos vítimas de suas calúnias, nem que sejamos apedrejados ou humilhados por eles. Que eles sejam retirados dos nossos caminhos e conduzidos para os caminhos de suas evoluções.

Sagrada Santa Sara Kali, nós vos pedimos, também, que nos Mistérios da Magia e dos Cristais sejam recolhidos, curados e encaminhados todos os espíritos que estejam alojados negativamente em nossa casa, nossa família, nossos caminhos e campos. Que eles sejam libertados de seus tormentos para poderem evoluir, e nós também.

Sagrada Santa Sara Kali, nós vos agradecemos e pedimos que a Senhora traga saúde, fé, sabedoria, amor, prosperidade, abundância e harmonia para nós, nossa família e todos que são merecedores da vossa bênção divina. Trazei luz e paz para nossos lares, fartura para nossas mesas, alegria para nossa vida e bondade para nossos corações. Também pedimos que, perante os Mistérios da Cura, os Mistérios da Mãe Natureza e com vossa imensa sabedoria, seja trazida a cura para todos os irmãos encarnados que estejam enfermos, infectados, exilados, amarrados, aprisionados, desesperados e doentes da alma.

Sagrada Santa Sara Kali, que a Senhora ilumine, ampare e dê sustentação para todas as mães que estejam trazendo em seus ventres um ou mais espíritos para reencarnar neste meio. Abençoai-as e ajudai-as para que aceitem com amor e sabedoria os desígnios do nosso Divino Criador.

Sagrada Santa Sara Kali, perdoai nossas fraquezas, cobri-nos com vosso Sagrado Manto e que os nossos corações transbordem de amor e de alegria.

Que assim seja. Amém!

Salve a Sagrada Santa Sara Kali!

Salve o Povo Cigano!

Salve a nossa Umbanda Sagrada!

62 – Prece à Sagrada Cigana Esmeralda

Sagrada Cigana Esmeralda, conhecedora de inúmeros Mistérios Divinos, que trazeis convosco os poderes da magia, da alegria, do amor, da caridade e da liberdade; que dominais os Mistérios da Lua Cheia; que passais destemida por toda e qualquer estrada; que não aceitais ver ninguém maltratado, humilhado e vilipendiado; de joelhos perante a Senhora, venho pedir vosso auxílio divino. Peço que clareeis minha visão, para que eu enxergue os caminhos por onde devo andar e as pessoas que me rodeiam.

Ajudai-me a ultrapassar as curvas tortuosas da minha estrada. Ensinai-me a seguir em frente sem carregar comigo as amarguras pelas lutas que não venci, pelas palavras duras que ouvi, pelos rancores que senti, pelos amores que vi partir, pelas feridas que não curei e pelas belezas da vida que não olhei. Perdoai-me por isso, minha Cigana, e me libertai desse peso.

Sagrada Cigana Esmeralda, envolvei-me nas vossas vibrações de luz. Curai meu corpo carnal, meu espírito imortal, meu emocional e mental. Trazei-me equilíbrio, força, sabedoria e coragem. Não me deixeis fraquejar diante da maldade humana. Ajudai-me a encontrar a luz no meu interior, e que essa luz resplandeça por onde eu passar. Que eu seja uma boa estrada para os que se sintam perdidos. Que eu tenha bons conselhos para os que estejam aflitos.

Que no som do vosso Sagrado Pandeiro eu seja despertada(o) para os dons divinos que meu Criador me concedeu, e que eu saiba usá-los de forma correta. Que entre as belezas das vossas vestes eu seja protegida(o) de todos os perigos que eu me deparar. Afastai da minha vida tudo e todos os que não me desejam o bem, me paralisam, são falsos, me aniquilam, os que me entristecem e os que despertam em mim sentimentos negativos.

Sagrada Cigana Esmeralda, clamo que nos poderes da Lua Cheia, do ar e dos ventos, a Senhora me liberte de todas as culpas, de todos os medos, mágoas, tristezas, angústias e da falta de confiança em mim. Fortalecei a minha fé e minha saúde, purificai meu emocional e meu mental, minha coroa, meus campos mediúnicos, vibratórios e energéticos, minhas sete passagens e minhas sete portas. Trazei-me equilíbrio, purificai tudo que houver de negativo na minha casa, na minha família, no meu trabalho e em minha vida.

Abri os meus caminhos do amor e da prosperidade em todos os campos e sentidos da vida, e não permitais que eu me perca nas sombras ou poeiras escuras que aparecerem nas minhas estradas.

Que no encanto da vossa dança e da vossa magia sejam cortados, desmanchados e anulados magias negativas, magias negras, demandas, bruxarias, encantamentos, pragas rogadas e vudus, os enviados a mim, os atraídos e praticados por mim, desta vida e de outras que já vivi.

Acolhei-me nos vossos Sagrados Mistérios e ajudai-me a caminhar. Peço, também, que a Senhora cuide dos meus inimigos, cure o íntimo deles e não permita que eles me alcancem com suas maldades. Clamo que a Senhora recolha, cure, regenere e encaminhe aos seus lugares de merecimento todos os espíritos negativos ligados a mim, minha casa e minha família.

Sagrada, bela e poderosa Cigana Esmeralda, eu vos saúdo, reverencio e agradeço por todas as bênçãos concedidas a mim e aos meus, todos os dias. Peço vossa proteção e amparo divino em todos os dias da minha jornada. Trazei-me saúde, fé, sabedoria, coragem, prosperidade, harmonia e amor. Trazei a cura para essa terra sagrada e nos protegei dos males existentes nela. Que não falte alimento nas nossas mesas, doçura, bondade e amor nas nossas palavras e ações nos nossos corações.

Que assim seja. Amém!

Salve a Sagrada Cigana Esmeralda!

Salve a nossa Umbanda Sagrada!

63 – Oração ao Sagrado Povo Cigano

Sagrado Povo Cigano, portador de amor, liberdade, sabedoria, alegria e bondade. Grande conhecedor de poderosos Mistérios Divinos, entre eles os Sagrados Mistérios da Magia, da Cura, dos Encantos do Fogo, das Fases Lunares e de Poderosas Rezas; de joelhos diante de vós, peço o vosso auxílio divino para me ajudar a transpassar os caminhos do ego, da vaidade, das ilusões e da ignorância.

Ensinai-me a enxergar a grandeza da doação, da bondade e do verdadeiro sentido da vida. Que com vossos elementos mágicos e as forças dos vossos Mistérios Sagrados, sejam curadas todas as enfermidades que afetam meu espírito, minha matéria, meu emocional e mental. Que vós tragais saúde, fé, prosperidade, fartura, sabedoria, harmonia, amor e alegria a todos os campos da minha vida.

Sagrado Povo Cigano, que andais por toda essa terra sagrada e conhece bem os encantos e Mistérios das Encruzilhadas, peço-vos que, perante esse ponto de forças e com vossos poderes divinos, sejam quebrados, desmanchados e anulados todas as magias negras, feitiços, bruxarias e encantamentos negativos ativados contra mim.

Que sejam recolhidos, curados e encaminhados para seus lugares de merecimento todos os espíritos negativos, doentios, obsessores, eguns, tacanhos, escurecidos e trevosos que, por alguma razão, estejam ligados a mim, minha casa, minha família, ao meu trabalho, aos meus campos e caminhos. Recolhei, também, todos os que se perderam no tempo e na escuridão por minha causa ou por sua própria ignorância e que, neste momento, precisam de socorro.

Sagrado Povo Cigano, peço, também, que sejam absorvidas, purificadas, neutralizadas e anuladas todas as vibrações e energias negativas enviadas a mim ou atraídas por mim. Que vosso fogo divino adentre meu eixo magnético e se espalhe por todos os meus campos, purificando e anulando tudo de negativo, bem como recolhendo, regenerando e encaminhando para suas esferas de origem todas as fontes vivas, ativas e pensantes que estejam ativadas ou atuando contra mim.

Sagrado Povo Cigano, que perante os Mistérios da Magia, seja purificado e anulado tudo de negativo em forma de pensamentos, elementos, atos e palavras, pragas rogadas, ódio, mágoas, rancores, inveja e ciúme que meus inimigos sentem por mim. Abrandai os corações deles para que se libertem dos tormentos que os consomem; e perante os Poderosos Mistérios da Lua Cheia, peço proteção contra a maldade deles.

Sagrado Povo Cigano, inundai o meu íntimo com vosso amor divino e não permitais que angústia, tristeza, dores, mágoas e vícios cheguem até mim. Libertai-me das amarras que me prendem aos caminhos sem luz, amor e alegria. Conduzi-me pelos caminhos do crescimento e da evolução espiritual e material.

Sagrado Povo Cigano, agradeço-vos e peço que abrais e ilumineis os meus campos e caminhos. Realinhai os meus chacras para que eu possa seguir adiante com fé, coragem, equilíbrio e sabedoria. Dai-me vossa bênção, vosso amparo e vossa proteção divina em todos os dias da minha caminhada. Não permitais que os tormentos e a solidão tragam lágrimas para os meus olhos. Ensinai-me que ter liberdade é ser responsável pelos meus próprios atos.

Que assim seja. Amém!

Salve o Sagrado Povo Cigano!

Salve a nossa Umbanda Sagrada!

64 – Oração ao Sagrado Povo Baiano

Sagrado Povo Baiano, conhecedor de incontáveis Mistérios Divinos, entidades de luz, povo mirongueiro, também chamado de conselheiro, de orientadores, de portadores da alegria e da fé, que com vossas mirongas, habilidades e sabedoria, quebrais demandas, encantos negativos, magia negra e trazeis a cura por meio de vossos grandiosos Mistérios para todos que confiam e tem fé. Neste momento, de joelhos diante de vós, nós vos saudamos, Sagrado Povo Baiano, e pedimos vosso auxílio divino em todas as nossas necessidades.

Libertai-nos das muralhas que muitas vezes nós mesmos colocamos na nossa vida por falta de fé, esperança, equilíbrio e por não sabermos lidar com as adversidades da vida. Libertai-nos do ódio que impede o amor de entrar nos nossos corações. Libertai-nos da arrogância que nos impede de perdoar e de pedir perdão. Libertai-nos da ignorância que nos impede de evoluir. Rompei os fios negativos que nos ligam a lugares e espíritos sombrios.

Quebrai as demandas e os encantos negativos enviados a nós ou atraídos por nós. Anulai as magias negras que, por alguma razão, estejam ativadas contra nós, mas anulai principalmente a pior delas, que é aquela que nós mesmos ativamos quando permitimos que a escuridão invada nossos pensamentos, sentimentos, atitudes e passamos a odiar e viver nas sombras e na prisão do nosso próprio íntimo.

Sagrado Povo Baiano, nós vos pedimos que, perante vossos Sagrados Mistérios e de vosso ponto de forças, sejam purificados e anulados todos os males que envolvem a nós, nossa casa, nossa família e todos que fazem parte da nossa vida. Pedimos, também, que tragais a cura para todas as doenças do nosso corpo carnal e nosso espírito imortal.

Dai-nos equilíbrio para que não nos percamos diante das adversidades da vida. Dai-nos sabedoria para aceitar o que não podemos mudar. Dai-nos coragem para seguirmos adiante. Dai-nos a fé para não fraquejarmos diante dos obstáculos. Dai-nos o amor para que saibamos perdoar os que nos ferem.

Sagrado Povo Baiano, nós vos pedimos que, juntamente com vossa falange, vossos elementos, vossos Mistérios e vossa sabedoria, nos defendais dos nossos inimigos, purifiqueis e anuleis todo ódio e rancor do íntimo deles. Ensinai-os a buscar conhecimento, amor e evolução. Mas, se assim não desejarem, mostrai-lhes que a vida é uma escola e que a Lei Divina existe para todos, e não permitais que eles se aproximem de nós com suas amarguras e rancores.

Sagrado Povo Baiano, nós vos agradecemos e pedimos vossa bênção, vosso amparo e vossa proteção divina, e se for do nosso merecimento, intercedei junto ao Senhor do Bonfim em nosso benefício, para que, assim, possamos cumprir nossa jornada terrena, e que sejam anulados todos os vírus e doenças existentes nessa Terra Sagrada.

Que assim seja. Amém!

Salve o Sagrado Povo Baiano, Salve a vossa Falange!

Salve o Senhor do Bomfim!

Salve a nossa Umbanda Sagrada!

65 – Oração aos Sagrados Guerreiros Africanos

Sagrados Guerreiros Africanos, Guerreiros do Axé e da Luz, conhecedores de tantos Mistérios Divinos, entre eles os Mistérios dos Quilombos, das Selvas, dos Tambores e dos Cânticos; que trazeis convosco os Mistérios das Pembas, da Cura, da Fé e das Matas; que com coragem e sabedoria auxiliais todos os que vos clamam; de joelhos perante vós, pedimos o vosso auxílio; que com vossas palavras firmes e fiéis nos ensineis a ter confiança e fé em Deus e nos Senhores.

Não permitais que o medo nos impeça de caminhar e que sejamos conduzidos pelos caminhos do amor e da caridade. Que sejamos guerreiros diante das dificuldades. Que sejamos humildes para auxiliar nossos irmãos e que nossos atos nos façam grandes aos olhos do nosso Criador.

Sagrados Guerreiros Africanos, clamamos que nos Mistérios das Selvas e dos Tambores sejam purificados de nosso espírito, de nossa matéria e de nossos sete campos todas as energias e vibrações negativas.

Que sejam cortadas e desmanchadas todas as magias negativas, demandas, magias negras, bruxarias, encantamentos e feitiços. Que nos ensineis a ter bons sentimentos, bons pensamentos e boas palavras, para que, assim, tenhamos do nosso lado os Espíritos de Luz a nos guiar.

Que nos cânticos de fé e amor nossos ouvidos sejam blindados para que nenhuma palavra de ofensa nos atinja, saibamos ouvir as orientações dos Espíritos Iluminados e, assim, cresçamos e caminhemos em busca da nossa evolução com coragem, fé e determinação.

Sagrados Guerreiros Africanos, pedimos também que nos Mistérios das Pembas Sagradas sejam anulados todo ódio, inveja, mágoa e rancores que nossos inimigos, encarnados ou não, sentem por nós, e que eles fiquem longe de nós e dos nossos familiares. Que eles encontrem a paz em seus corações e deixem de nos perseguir. Que sejamos protegidos das garras dos irmãos mal-intencionados e dos animais perigosos, que possamos ir e vir sob a vossa proteção divina.

Sagrados Guerreiros Africanos, pedimos que vossas Sagradas Mãos da cura auxiliem todos os doentes, aflitos, tristonhos, solitários, sem fé, sem amor e amargurados; trazei alento para a vida deles e para a vida de todos nós. Recolhei todos os espíritos ligados a nós negativamente, curai-os e encaminhai-os para os seus lugares de merecimento.

Sagrados Guerreiros Africanos, nós vos agradecemos e pedimos vossa bênção, vosso amparo e vossa sustentação divina, não só no dia de hoje, mas em todos os dias da nossa jornada. Que tenhamos fé, coragem, determinação, sabedoria, equilíbrio e amor pela vida. Que no pó das Pembas Sagradas sejamos ocultados todas as vezes que acharem necessário.

Que assim seja. Amém!

Salve os Sagrados Guerreiros Africanos!

Salve a nossa Umbanda Sagrada!

66 – Oração ao Sagrado Espírito de Luz Dr. Bezerra de Menezes

Sagrado Espírito de Luz Dr. Bezerra de Menezes, o Senhor que é portador da cura, do amor, da caridade e da bondade, que ampara os mais fracos, consola os aflitos e cura os enfermos segundo o merecimento de cada um; de joelhos perante o Senhor, pedimos o vosso auxílio.

Sagrado Espírito de Luz Dr. Bezerra de Menezes, nós vos pedimos que juntamente com vossa falange amparadora, resignadora, reequilibradora, protetora, socorrista e curadora, o Senhor chegue até nós trazendo amparo, resignação, equilíbrio, proteção, socorro e cura para todas as enfermidades do nosso corpo e espírito.

Pedimos, também, que cureis nosso mental e emocional, para que, assim, possamos progredir na virtude, no amor e na caridade. Curai nossas mágoas, nosso ódio, nossos vícios, nosso ego, nossa arrogância, nossa ignorância e nos ensineis que esses sentimentos negativos abrem campos para muitas enfermidades em nosso corpo e espírito. Mostrai-nos que a Luz está dentro de nós e cabe a nós encontrá-la.

Sagrado Espírito de Luz Dr. Bezerra de Menezes, nós vos pedimos que nos ensineis que a fé e o desejo da cura são essenciais para o progresso da nossa saúde mental, emocional, espiritual e material. Que floresça em nós a beleza dos bons sentimentos, bons pensamentos, boas atitudes e boas palavras, para que, assim, possamos evoluir em nome do nosso Pai Oxalá, dos Espíritos Iluminados e da Corrente do Amor e da Cura. Que saibamos direcionar nossa energia mental para ajudar a nós mesmos e nossos irmãos.

Sagrado Espírito de Luz Dr. Bezerra de Menezes, nós vos pedimos que tragais a cura para todos os enfermos, os que se mantêm em pé, os acamados, hospitalizados, infectados e todos que necessitam de cura para a alma, segundo o merecimento de cada um de nós.

Que saibamos amar a nós mesmos e ao nosso próximo, pois só assim seremos dignos de receber vossas bênçãos.

Sagrado Espírito de Luz Dr. Bezerra de Menezes, nós vos agradecemos e pedimos que tragais a cura para todas as enfermidades dos nossos órgãos internos e externos e purifiqueis o sangue que corre nas nossas veias. Pedimos, também, que socorrais e cureis todos os espíritos doentios e enfermiços enviados a nós ou atraídos por nós, e os encaminhe para seus lugares de merecimento.

Sagrado Espírito de Luz Dr. Bezerra de Menezes, que possamos trilhar nossos caminhos sob vossa proteção, vosso amparo e vossa bênção Divina. Agradecemos também por todas as bênçãos que o Senhor já nos concedeu e pelas que nos concede neste momento.

Que assim seja. Amém!

Salve o Sagrado Espírito de Luz Dr. Bezerra de Menezes!

Salve vossa Falange!

Salve toda a Corrente da Cura!

Salve a nossa Umbanda Sagrada!

67 – Prece aos Sagrados Marinheiros

Sagrados Marinheiros, portadores de Grandiosos Mistérios Divinos e grandes conhecedores dos Sagrados Mistérios das Águas, que encantam a todos com vossa alegria, que trabalham em prol da luz, da bondade e da caridade; de joelhos diante dos Senhores, venho pedir vosso auxílio. Eu vos peço que nas Forças e Mistérios das Águas do Mar Sagrado me ajudeis a segurar os meus remos com firmeza e a conduzir meu barco por águas claras. Que sejam retiradas todas as impurezas do meu espírito e da minha matéria. Que na jangada da vida eu tenha sabedoria para discernir entre a luz e as trevas do meu próprio íntimo.

Que eu seja livre, leve e responsável pelos meus atos. Que eu não atribua a ninguém meus erros e acertos. Que eu entenda que só cabe a mim o desejo de buscar conhecimento e evolução. Que nos poderes das ondas do Mar Sagrado sejam purificadas e anuladas todas as magias e ações negativas enviadas a mim ou atraídas por mim, desta vida e de outras que já vivi.

Purificai tudo que houver de negativo na minha casa e em minha família, e recolhei todos os espíritos ligados a mim negativamente. Curai-os e ensinai-os a caminhar sob os caminhos luminosos. Peço, também, que me liberteis das barreiras que me impedem de caminhar rumo aos meus objetivos.

Sagrados Marinheiros, clamo que perante os vossos Mistérios Divinos seja purificado tudo de negativo que envolva meu espírito, minha matéria, meus campos e corpos internos. Trazei-me saúde, equilíbrio, fé, amor, harmonia, prosperidade, abundância e sabedoria, para que eu possa enxergar com clareza as bênçãos que recebo todos os dias e, dessa forma, agradecer e agradar aos olhos do meu Criador seguindo apenas os caminhos do bem. Não permitais que meus inimigos me atinjam com atos, pensamentos, elementos e palavras. Purificai o íntimo deles e levai amor e bondade para suas vidas. Mas se não quiserem evoluir, então que seja ofuscada a visão deles nas forças das águas para que não me enxerguem.

Sagrados Marinheiros, grandes conhecedores dos Mistérios dos Sete Mares, peço-vos que diante desses Sagrados Mistérios eu seja libertada(o) de todas as amarguras que me entristecem, dos rancores que me adoecem, do ódio que me escurece e da falta de fé que me enfraquece. Trazei à minha vida tudo de positivo e belo que seja do meu merecimento e que eu saiba cultivar tudo que meu Criador generosamente coloca em minha vida.

Sagrados Marinheiros, que nos poderes das ondas do Mar Sagrado e no balanço do vosso navio eu seja despertada(o) para a vida. Que eu possa enxergar que meu Criador está presente em tudo e em todos que acreditam n'Ele.

Sagrados Marinheiros, agradeço-vos e peço que, juntamente com vossa falange e perante os Mistérios da Sagrada Mãe Iemanjá e do Sagrado Pai Ogum Beira-Mar, eu seja protegida(o), amparada(o), guiada(o) e abençoada(o) em todos os dias da minha jornada. Que eu possa ultrapassar todos os obstáculos dos meus caminhos com fé, esperança, bondade e amor.

Que assim seja. Amém!

Salve os Sagrados Marinheiros!

Salve Mãe Iemanjá!

Salve Pai Ogum Beira-Mar!

Salve o Povo dos Sete Mares!

Salve a nossa Umbanda Sagrada!

68 – Prece aos Sagrados Erês

Sagrados Erês, conhecedores de grandiosos Mistérios Divinos, Mensageiros da Paz, do Amor e da Alegria, que trazeis convosco as energias e vibrações de todas as Mães Orixás; que com vossa sábia inocência conheceis, também, os Mistérios da Cura do corpo e da alma dos encarnados; de joelhos diante de vós, pedimos vosso auxílio divino.

Que do Reino Encantado de todas as Mães Orixás e da nossa Mãe Natureza sejam trazidas até nós vossas energias e vibrações positivas. Que com vossos poderes encantados sejam diluídos todos rancores e amarguras dos nossos corações.

Sagrados Erês, também pedimos que diluais a tristeza que ofusca nossa visão e nos impede de ver o encanto da vida. Recolhei e diluí todas as ações negativas do passado e do presente que envolvem nosso corpo, nosso espírito, nossos campos, nossa casa e nossa família. Pedimos, ainda, que tragais saúde e conforto para todos os enfermos. Trazei fé e esperança aos descrentes. Trazei humildade aos arrogantes. Trazei paz e alegria aos aflitos e amor para todos nós.

Sagrados Erês, que nas forças e nos poderes dos vossos Mistérios sejamos curados de todos os males que nos afligem, e que vossa luz viva e divina ilumine os nossos caminhos. Que vossa alegria, paz e amor transbordem em nossos atos, pensamentos e sentimentos. Que tenhamos harmonia, simplicidade, honestidade, humildade, prosperidade e muita fé em nosso Pai Maior. Que sejamos leves, dóceis e caridosos. Que nosso corpo e espírito sejam purificados, reordenados, vitalizados e equilibrados, para que possamos caminhar rumo à nossa evolução espiritual e material em todos os campos da vida.

Sagrados Erês, nós vos pedimos que perante os Mistérios da vossa inocência e sabedoria sejam anulados e purificados todas as magoas, ódios e tormentos dos nossos inimigos. Trazei paz, sabedoria e amor para a vida deles, para que, assim, não desejem fazer mal a nós, nem a ninguém.

Sagrados Erês, pedimos também que tragais vosso auxílio a todos os que precisam dele, principalmente a todas as crianças encarnadas que neste momento estão acamadas, hospitalizadas, abandonadas e maltratadas. Trazei cura, conforto, paz e amor à vida delas.

Sagrados Erês, nós vos agradecemos e pedimos que intercedam em nosso benefício junto às Sagradas Mães Orixás. Que Elas perdoem as nossas fraquezas, nossa ignorância e nos cubram com seus Mantos Sagrados. Conduzi-nos pelos caminhos do bem e fazei permanecer viva a criança que existe dentro de nós.

Sagrados Erês, trazei saúde, alegria, paz, prosperidade, fartura para nós, nossa família e todos os que acreditam em vós. Dai-nos vossa bênção, vosso amparo e vossa proteção divina em todos os dias da nossa caminhada. Que a paz, o amor, a alegria e a harmonia estejam presentes em nossos lares todos os dias.

Que assim seja. Amém!

Salve os Sagrados Erês!

Salve a Criançada!

Salve todas as Mães Orixás!

Salve a nossa Umbanda Sagrada!

69 – Oração ao Sagrado Senhor Zé Pilintra

Sagrado Senhor Seu Zé Pilintra, conhecedor de incontáveis Mistérios Divinos, portador da fé e da alegria, mensageiro da luz e astuto na sabedoria, que trazeis convosco os Mistérios da Fé, da Cura, da Malandragem, da Noite, das Encruzilhadas, da Lua e da Magia. O Senhor, que coloca sob a aba do vosso chapéu e sob o nó da vossa gravata todos aqueles que se julgam espertos e acham que ser malandro é passar dias e noites tecendo teias de maldade para aprisionar, humilhar, trapacear e ferir seus irmãos; de joelhos perante o Senhor, peço vosso auxílio.

Não permitais que eu me perca nos caminhos escuros desse meio em que vivo. Libertai-me dos vícios e das ilusões que me anulam diante da verdadeira razão de viver. Fortalecei minha fé e coragem diante das muralhas que a vida coloca diante de mim, e que eu confie em vossa constante presença.

Sagrado Seu Zé Pilintra, clamo que o Senhor segure minha mão e me encoraje em meio às madrugadas frias e sombrias, com as quais deparo nesta minha caminhada terrena. Não permitais que nada nem ninguém me derrube, mas se, por ignorância minha, eu me deixar cair, que o Senhor me perdoe, me levante e me ajude a caminhar sob vossa Luz Divina.

Ensinai-me a buscar a solução para meus problemas; ensinai-me a ser bondosa(o), caridosa(o), a ter amor por mim e pelos meus irmãos, mas não permitais que eles suguem minhas energias e forças, nem que me explorem em nome da minha fé e da confiança. Que vossa Luz Divina esteja a me guiar por essa vida afora.

Por onde quer que eu vá, que o Senhor esteja comigo e eu com o Senhor, para que, assim, eu aprenda convosco a malandragem da forma correta e saiba como driblar as adversidades da vida e ultrapassar com fé e sabedoria todos os labirintos dos meus caminhos, sem denegrir as Leis Divinas.

Sagrado Seu Zé Pilintra, clamo que o Senhor cuide dos meus inimigos, purifique e anule todo o ódio, rancor, mágoas, inveja, ciúme e tudo de negativo que eles sentem por mim. Ensinai-os a caminhar pelos caminhos do bem e não permitais que eles cheguem até mim com maldades em seus corações. Ocultai-me e zelai por mim nos Sagrados Mistérios da Noite, para que eles não me enxerguem, nem me alcancem com suas maldades.

Sagrado Seu Zé Pilintra, que perante os Mistérios da Magia o Senhor recolha todos os espíritos negativos ligados a mim, minha casa, minha família, meus campos e caminhos. Curai-os, regenerai-os e encaminhai-os para seus lugares de merecimento. Que perante o clarão da lua e o brilho das estrelas eu saiba buscar no meu íntimo a luz que existe dentro de mim e, assim, ter o discernimento para mudar tudo que na minha vida precisa ser mudado, e a sabedoria e a força para dominar meus medos, tendo sempre a humildade e o amor a me conduzirem. Que o Senhor me ensine a acender minha luz para iluminar a mim mesma(o) e aos meus irmãos caso estejam na escuridão.

Sagrado Seu Zé Pilintra, agradeço-vos e vos peço que tragais saúde, sabedoria, fé, amor, alegria, prosperidade e harmonia a mim, aos meus e a todos que sejam merecedores. Que perante a Lei Maior os poderosos Mistérios contidos em vós, com vossa astúcia, malandragem e sabedoria, o Senhor cruze meu corpo em nome de Oxalá, Oxum e Iemanjá e me proteja de tudo e de todos que trazem a maldade em seus atos, pensamentos, sentimentos e palavras. Que o Senhor proteja, também, todos os que praticam a caridade em nome de Deus, dos Santos e dos Orixás.

Que o Senhor abençoe e proteja todos os que com amor, fé e respeito buscam conhecer a Sagrada Umbanda. Abençoai, também, e mostrai os caminhos da evolução a todos os que estão aprisionados na ignorância e denigrem aquilo que não conhecem.

Que, juntamente com vossa falange e o Senhor do Bonfim, o Senhor me traga vossa bênção, vosso amparo e vossa sustentação divina em todos os dias da minha jornada. Que o Senhor me liberte do ego, da arrogância e dos conflitos.

Cortai, desmanchai e anulai todas as magias negativas, magias negras e demandas ativadas contra mim ou atraídas por mim. Peço, também, que o Senhor auxilie na cura da humanidade segundo o merecimento de cada um.

Que assim seja. Amém!

Salve Seu Zé Pilintra!

Salve a Malandragem!

Salve a nossa Umbanda Sagrada!

70 – Prece para Encaminhar o Espírito de um Irmão/ Irmã Umbandista

Pedimos licença aos Senhores e Senhoras Guardiões e Guardiãs do Campo-Santo e a todo povo nele regente. Clamamos respeitosamente que nos amparem e abençoem nesse momento de prece em prol do espírito desse(a) irmão(a) que cumpriu sua missão na Terra e hoje faz sua passagem para o outro lado da vida.

Ao Sagrado Pai Omolu e Sagrado Pai Obaluaiê, pedimos que acolham e auxiliem o espírito desse(a) irmão(a) na sua passagem, para que não se perca no caminho. Ao Sagrado Senhor Exu Caveira e ao Sagrado Senhor Exu Sete Covas, clamamos que auxiliem esse espírito para que não fique preso à matéria por causa dos seus apegos carnais e materiais, e, caso seus débitos com a Lei sejam grandes, que ele(a) seja bem guiado(a) até os Sagrados Portais dos Senhores e Senhoras Executores da Lei à esquerda do Criador para que lá se arrependa dos erros e clame o perdão do nosso Pai Maior.

Que o Divino Pai Oxalá e o Sagrado Pai Ogum o(a) amparem caso a Lei seja implacável e rígida com ele(a) em virtude de débitos. Se assim for, que ele(a) não demore a se arrepender dos seus erros na carne e não perca a fé no nosso Divino Criador diante da Lei d'Ele. Assim, após ter pago seus débitos nos domínios à esquerda do nosso Criador, que os Grandiosos Espíritos de Luz possam resgatá-lo, auxiliá-lo e acompanhá-lo até os campos de evolução e dos aprendizados maiores.

Que, após curado, equilibrado, evoluído e iluminado, possa ocupar seu grau e degrau diante do nosso Divino Criador e seguir um novo caminho, uma nova jornada no outro lado da vida. Mas se a Lei estiver apenas amparando-o por não dever nada a ela, por ter vivido na carne uma vida justa, com amor, bondade, equilíbrio, com respeito à criação e às Leis Divinas, então clamamos que todas as divindades iluminadas e evoluídas o recebam, o amparem e o acompanhem até os Campos Floridos na Luz, para que, assim, possa cumprir os desígnios do Criador e se fortalecer nos Mistérios d'Ele.

Que os nossos pedidos sejam atendidos, segundo o merecimento desse(a) irmão(a).

Que assim seja. Amém!

Salve Pai Oxalá!

Salve Pai Ogum!

Salve o Povo do Campo-Santo!

Salve os Espíritos Iluminados e Evoluídos!

Salve a nossa Umbanda Sagrada!

MADRAS® Editora

Para mais informações sobre a Madras Editora,
sua história no mercado editorial
e seu catálogo de títulos publicados:

Entre e cadastre-se no site:

www.madras.com.br

Para mensagens, parcerias, sugestões e dúvidas, mande-nos um e-mail:

marketing@madras.com.br

SAIBA MAIS

Saiba mais sobre nossos lançamentos,
autores e eventos seguindo-nos no facebook e twitter:

@madrased

/madraseditora